WHEN
WE
WERE
LOST

L'auteur

Kevin Wignall est né à Bruxelles dans une famille de militaires et a passé la majeure partie de son enfance en Europe. Il habite aujourd'hui en Angleterre et voyage beaucoup, même s'il déteste l'avion. Il adore la montagne, l'hiver et les chiens, mais il voyage trop pour en avoir un.

KEVIN WIGNALL

WHEN WE WERE LOST

Jungle

Préface de James Patterson

Traduit de l'anglais (États-Unis)
par Guillaume François

POCKET JEUNESSE
PKJ·

Directeur de collection :
Xavier d'Almeida

Titre original :
When We Were Lost
Publié pour la première fois en 2019
par Jimmy Patterson Books / Little, Brown Company
Hachette book Group

Loi n° 49-956 du 16 juillet 1949 sur les publications
destinées à la jeunesse : septembre 2020

ISBN : 978-2-266-29785-1

Dépôt légal : septembre 2020

Pour George et Rafael

PRÉFACE

J'adore raconter des histoires. Avec le temps, j'ai appris que les meilleures sont celles qui nous emmènent dans une direction qu'on n'aurait jamais soupçonnée. J'ai commencé à lire *When We Were Lost* en pensant que ce serait une classique histoire de survie dans la jungle après le crash d'un avion. Si Kevin Wignall a parfaitement su manier le suspense et l'excitation qu'on trouve dans un excellent récit de désastre, j'ai été ravi de découvrir que c'était bien plus que ça.

Nous voyons la catastrophe arriver à travers les yeux de Tom, qui n'a pas d'amis et veut juste qu'on le laisse tranquille. Je crois que nous avons tous une petite part de lui en nous, celle qui nous dit que nous ne sommes jamais tout à fait à notre place. Dans cette histoire, Tom devra se battre pour survivre à l'inattendu : la jungle sauvage et la hiérarchie sociale du lycée. Chacune à leur manière, elles sont redoutables…

Au bout du compte, cette histoire parle de ce sentiment d'être perdu de bien des façons, et de ce que cela signifie vraiment d'être retrouvé.

James Patterson

PROLOGUE

Ça s'appelle l'effet papillon, et c'est la partie de la théorie du chaos que tout le monde adore. L'idée, c'est que le battement d'ailes d'un papillon peut causer une tempête à l'autre bout du monde. Pas directement, bien sûr. Ce n'est pas comme si le battement perturbait une masse d'air, laquelle perturberait une autre masse d'air, et ainsi de suite jusqu'à obtenir une tempête. Ce serait idiot.

Ce que ça veut dire, en fait, c'est que tout est incroyablement complexe, que des millions de minuscules facteurs entrent en jeu à longueur de temps, et que si on en retire simplement un (le battement d'ailes d'un papillon, par exemple), alors les choses peuvent se passer autrement, ou ne pas se produire.

Et donc, voilà quelques années, un crétin du nom de Matt Nicholson s'était dit qu'il serait marrant de corser le contenu des verres que buvait une fille en y ajoutant des shots de vodka à son insu. Ça peut paraître étrange, mais Matt Nicholson est le papillon, et corser le contenu des verres, c'est son battement d'ailes.

La fille s'appelait Sally Morgan. Très vite, elle fut saoule. C'était leurs premières semaines à l'université, alors quand elle sortit du bar en titubant, le teint verdâtre, personne n'y prêta réellement attention. Personne, excepté Matt Nicholson, qui trouvait ça hilarant.

Dehors, Julia Darby repéra Sally. Elle ne la connaissait pas, mais comprit qu'elle avait un problème et besoin d'aide. Elle réussit à la conduire jusqu'aux toilettes avant que l'inévitable ne se produise.

Julia et Sally fréquentaient des établissements différents, suivaient des cursus différents. Par conséquent, si Matt Nicholson n'avait pas corsé les boissons de Sally, elles ne se seraient peut-être jamais rencontrées, et certainement pas à ce moment-là. Elles ne se seraient pas liées d'amitié. Et Julia n'aurait donc jamais présenté Sally à son ami d'enfance, Rob Calloway.

Sally et Rob ne seraient jamais tombés amoureux, ne se seraient jamais mariés après leurs études et n'auraient pas eu un enfant. Et au moment de faire leur testament, ils n'auraient jamais désigné Julia comme tutrice de leur fils au cas où il leur arriverait quelque chose.

Et alors que l'enfant avait neuf ans, si le taxi que Sally et Rob avaient commandé était bien venu les chercher à Hopton, dans le Connecticut, où ils célébraient au restaurant leurs dix ans de mariage, ils n'auraient pas choisi de rentrer à pied.

Et si sa petite amie ne l'avait pas largué en le traitant de loser, Sean Hodges ne se serait pas saoulé et n'aurait pas pris sa voiture pour aller chez elle. Et si elle avait accepté de se rabibocher avec lui, ou au moins de lui ouvrir sa porte, il ne serait pas reparti furieux et, toujours ivre, n'aurait pas renversé deux personnes qui marchaient le long d'une route de campagne sombre et tranquille, les tuant sur le coup.

Ainsi, même si ses parents n'avaient jamais sérieusement envisagé qu'il leur arrive malheur, leur fils de neuf ans, Tom Calloway, se retrouva sous la tutelle de leur plus vieille amie. À vrai dire, les relations entre les trois adultes s'étaient beaucoup distendues au cours des dernières années. Sally et Rob avaient fini par se lasser des jérémiades et des excentricités de Julia. Ils avaient songé à modifier leur testament, mais la mort les avait pris de vitesse.

Devenir la tutrice d'un enfant n'affecta guère le mode de vie de Julia. Aussi, huit ans plus tard, elle se ficha pas mal que Tom n'ait pas la moindre envie de participer à une sortie scolaire dans le cadre d'un projet environnemental, parce qu'elle-même voulait faire une retraite de yoga en Italie et que les dates coïncidaient. Au bout du compte, pour couper court à ses lamentations, Tom accepta d'aller au Costa Rica, un pays qu'il n'avait pas envie de visiter, en compagnie de gens avec qui il n'avait pas envie d'être, pour faire des choses qu'il n'avait pas envie de faire.

Voilà ce que c'est, l'effet papillon. Si un crétin nommé Matt Nicholson n'avait pas corsé les verres d'une fille appelée Sally Morgan, Tom Calloway, qui ne serait probablement jamais né, n'aurait pas pris place à bord de cet avion vingt ans plus tard. Avion qui n'atteindrait jamais sa destination.

Chapitre 1

C e n'était pas que Tom se fichait de l'environnement. Il triait consciencieusement ses déchets et
appréciait les documentaires sur la nature à la télé.
Néanmoins, il ne pouvait s'empêcher de penser qu'il y avait
beaucoup d'hypocrisie dans tout ça. Faire brûler une tonne de
kérosène pour qu'une poignée de gamins issus du pays le plus
riche du monde aillent observer des plantes et des papillons
au Costa Rica, ce ne serait pas de l'hypocrisie, par hasard ?
C'était une des raisons pour lesquelles il ne voulait pas
participer à ce voyage. Parce que c'était un mensonge.
Des vacances déguisées en mission « Sauvons la planète »,
des vacances sans le plaisir, à payer un prix exorbitant pour
un camping écolo infesté de moustiques.
Et puis il y avait les autres. Trente-neuf élèves, trois professeurs et la femme de l'un d'eux. Ceux de son âge étaient
probablement sympas, intéressants chacun à leur façon,
peut-être amicaux, suffisamment en tout cas pour parvenir
à s'entendre. Sauf que Tom ne se sentait pas comme eux.
Quand il était petit, on lui avait offert un puzzle.
L'image complexe d'un château. Il s'y était attelé au
cours d'un week-end pluvieux et, une fois qu'il l'avait eu

terminé, il s'était aperçu qu'il y avait une pièce en trop. Pas un double, mais une pièce qui devait provenir d'un autre puzzle.

Tom l'avait gardée. À l'époque, il n'avait pas trop su pourquoi il s'y était attaché, puis, au fil des années, il avait fini par s'identifier à elle. Il était normalement constitué. À première vue, il était comme tout le monde. En le regardant, la plupart des gens pensaient sans doute qu'il était à sa place. Eh bien, non. S'il devait figurer sur une image, ce n'était certainement pas celle de sa vie aujourd'hui. Toutefois, il ne considérait pas cela comme un problème, car il avait compris que cette fameuse pièce en trop appartenait sûrement au puzzle de quelqu'un d'autre. Quelque part (peut-être à l'université, peut-être plus tard), il trouverait l'image qui était la sienne.

Ses camarades aussi le tenaient pour différent, distant, suivant ses propres règles. Les professeurs eux-mêmes ne manquaient pas de le mentionner longuement dans son bulletin (que Julia ne lisait jamais). Le dernier en date ne faisait pas exception.

Les résultats scolaires de Tom parlent d'eux-mêmes, je ne peux que le féliciter. J'aimerais cependant qu'il fasse un effort pour participer de façon active à la vie de la classe. Il est réservé au point d'être parfois désagréable, ce qui est franchement dommage, car je pense qu'il apporterait beaucoup à l'ensemble du groupe s'il en faisait le choix.

M. Glenister, conseiller principal d'éducation

Bravo, Tom, pour cette impressionnante année de première ! Comme tu le sais, je t'ai fortement encouragé à t'investir un peu plus dans la vie du lycée de Hopton et j'espère que ta participation au voyage au Costa Rica est la preuve que tu as écouté mon conseil. L'occasion idéale de tisser des liens avec tes camarades !

Proviseure Rachel Freeman

Tom est une énigme. Son travail est toujours d'une grande qualité, et ses interventions en classe perspicaces et pertinentes. J'aimerais simplement qu'il s'investisse un peu plus vis-à-vis de ses études et de ses camarades de classe.

Mme Graham, professeure de littérature

Mme Graham était une énigme, elle aussi. Elle était assez jeune et séduisante pour que Tom ressente une sorte de gêne à se retrouver seul avec elle, d'autant plus que, lors de la dernière rencontre parents-professeurs, elle avait dit à Julia qu'elle avait « désespérément besoin » que Tom se mêle un peu plus à ses camarades.

Elle était là, parmi les enseignants, et comptait en silence les élèves avant l'embarquement. Lorsque son regard tomba sur Tom, elle s'interrompit net, à la fois stupéfaite et embarrassée, puis esquissa un drôle de sourire, comme si elle n'arrivait pas à en croire ses yeux.

Elle jura ensuite discrètement et recommença son décompte. Sur ses lèvres, on pouvait lire « un, deux, trois… ». Finalement, cela résumait bien les choses. Il était si incongru de voir Tom participer à ce genre de sortie scolaire, que sa simple présence suffisait à rendre sa professeure de littérature incapable de compter jusqu'à quarante.

Chapitre 2

— Je suis contente que tu aies choisi de venir, Tom, lui confia Mme Graham, assise à côté de lui dans l'avion. J'espère que ce sera une opportunité pour nous tous d'apprendre à mieux te connaître.

— Madame Graham, c'est juste deux semaines.

Elle rit, comme s'il venait de faire un brillant trait d'esprit (ce qui n'avait pas été son intention), avant de se tourner vers Barney Elliott, assis à sa gauche.

Tom avait souvent pris l'avion avec Julia. S'il fallait bien admettre qu'elle tenait plus de la colocataire peu fiable que du parent, on ne pouvait pas nier qu'elle savait voyager. Chaque fois qu'ils montaient dans un avion, ils tournaient à gauche, vers la classe affaires.

Aujourd'hui, Tom avait dû tourner à droite. M. Lovejoy et sa femme avaient pris place au milieu, près de la porte, avec Jack Shaw, qui du haut de ses deux mètres avait besoin de place pour ses jambes, et avec Maisie McMahon, qui était toute petite mais devait s'asseoir là pour d'obscures raisons de santé.

La moitié du groupe, dont Tom, occupait les deux rangées du fond. M. Holdfast, leur professeur de gymnastique et entraîneur de football, était juste devant, avec quelques membres de l'équipe. Il riait, faisait des blagues et chantait parfois « Allez les Hawks ! » comme s'il était encore un adolescent.

L'embarquement était presque terminé lorsque Mme Graham se tourna vers Tom.

— Je peux te faire un aveu ?

Bien qu'il ne fût pas certain d'avoir envie de l'entendre, il prit l'air intéressé.

— J'ai un peu peur de l'avion, continua-t-elle avec un sourire gêné. Depuis toujours. Les turbulences, c'est ce qu'il y a de pire.

— Dans ce cas, pourquoi êtes-vous venue ?

Elle haussa les épaules, comme pour signifier qu'elle n'avait pas eu le choix.

Son voisin de gauche, Barney, qui avait le même âge que tout le monde mais paraissait plus jeune et plus petit, intervint.

— Vous savez, madame, c'est presque impossible pour un avion de cette taille de s'écraser à cause de turbulences. L'intégrité structurelle n'est jamais mise en péril, et ça ne pose pas de réel problème au pilote.

— Ah. Mais pourquoi les avions s'écrasent, alors ?

— Ils ne s'écrasent pas, si on regarde les statistiques. Enfin je veux dire, bien sûr que certains s'écrasent, mais la probabilité est si faible que le risque est négligeable. On ne va pas se coucher tous les soirs en redoutant que notre maison brûle, n'est-ce pas ? Et pourtant, on a plus de chances de mourir dans un incendie que dans un crash aérien.

— Intéressant ! Tu as entendu ça, Tom ?

Il hocha la tête. Lui, ce qu'il pensait, c'était que les statistiques n'étaient pas d'un grand réconfort pour les passagers

17

d'un avion sur le point d'exploser au sol en une boule de feu. Mais une fille du nom d'Olivia lui épargna la peine de répondre : elle venait de se lever de son siège plus loin devant et s'était tournée vers eux.

— Madame, est-ce que vous pouvez dire à Chris d'arrêter de nous embêter ?

La professeure lança un regard entendu à Tom, comme s'ils étaient tous deux des adultes. À vrai dire, ce regard ne lui inspirait aucune confiance.

— Je reviens dans une minute.

Tom replia ses jambes pour lui permettre de rejoindre le couloir.

— À mon avis, Mme Graham craque pour toi, murmura Barney.

Face au regard que Tom lui lança, il se sentit obligé d'ajouter :

— Non, mais ça arrive. On voit ça tout le temps dans la presse.

— Tu as des statistiques pour ça aussi ?

Pris de court, Barney se contenta de répéter :

— Ça arrive, c'est tout ce que je dis.

Tom remarqua du mouvement devant lui. Même s'il ne croyait pas à ce que racontait Barney, il était plutôt soulagé de voir que Mme Graham avait décidé d'échanger sa place avec ce gros lourdaud de Chris Davies.

Ce dernier remontait maladroitement l'allée.

— Graham a dit que je devais m'asseoir là. Tu peux te mettre au milieu ?

— Non.

Tom se leva pour le laisser passer, puis reprit sa place.

— Quelle conne, cette Olivia, lança Chris. C'est pas ma faute si j'ai fait un rêve.

— Oh non, pas encore cette histoire de rêve ! protesta Chloé, assise juste derrière. Chris, arrête avec ce truc.

Sans prendre la peine de se retourner, il haussa la voix pour qu'elle l'entende.

— On en reparlera quand l'avion s'écrasera.

— Quoi ? s'écria Barney.

— Je l'ai vu en rêve. C'était exactement cet avion.

Joel Aspinall (délégué de classe, fils d'un politicien local) se pencha vers eux depuis l'autre côté de l'allée.

— Chris, mon pote, il faudrait que tu fasses un peu moins de bruit, sinon on va se faire jeter de l'avion.

— Ça vaudrait peut-être mieux. Et après, vous me remercierez tous quand il se crashera.

Des murmures s'élevèrent çà et là. À l'évidence, ce discours alarmiste en perturbait plus d'un. Soudain, une voix pleine de gravité résonna tout au fond de la cabine.

— Christian !

Alice Dysart et Chris se connaissaient depuis la maternelle car leurs parents étaient amis. Même s'ils n'avaient rien en commun, leur lien, quel qu'il fût, avait du poids : Chris se tut aussitôt et s'enfonça dans son fauteuil... non sans se tourner vers Tom pour chuchoter :

— Ce zinc va s'écraser, sûr et certain. On va tous mourir.

Étant donné que Chris voulait toujours être le centre de l'attention, il était difficile de dire s'il avait bel et bien fait un rêve qui l'angoissait, ou si ce n'était qu'une tentative pathétique pour faire peur à tout le monde.

Peu importait. Tom lui répondit en le regardant droit dans les yeux :

— Je m'en fous.

Il prit alors conscience du fait que s'il ne croyait pas une seconde au rêve prémonitoire de Chris, en revanche, sa réponse était sincère : il s'en fichait, vraiment. Quoi qu'il doive se passer, ils ne pouvaient rien y faire, et ils finiraient tous par mourir un jour ou l'autre. À quoi bon s'inquiéter de savoir si ce serait aujourd'hui ?

Chapitre 3

La première fois que Tom avait pris l'avion, il avait été tout excité. L'embarquement, le décollage, les dix premières minutes de vol… Puis la monotonie du trajet avait eu raison de lui et il s'était endormi. S'il n'avait plus jamais apprécié ce moyen de transport, il aimait toutefois le rêve qu'il faisait à bord, plus ou moins le même au cours des cinq années écoulées.

Il n'y avait qu'en avion que cela arrivait. Jamais chez lui, jamais ailleurs. Il s'était demandé si la pression de la cabine ou le bruit des moteurs provoquaient quelque chose de spécial, mais ça ne l'avançait à rien. C'était son rêve en avion, un point c'est tout, et ce voyage ne faisait pas exception.

Il s'agissait d'un de ces rêves étranges dans lesquels on se sent encore à demi conscient. Il savait qu'il était assis dans un fauteuil, percevait vaguement le bruit de fond des moteurs, tout en ayant l'impression de flotter dans l'obscurité, libéré de sa ceinture de sécurité.

Et puis, d'un coup, il prenait pleinement conscience du monde autour de lui : l'air, le froid, l'humidité, la terre en dessous, les étoiles au-dessus, les innombrables êtres humains qui vivaient et mouraient. Il les voyait tous en cet instant, certains en plein jour, d'autres dans la nuit profonde de l'autre côté du globe : des enfants jouant dans une rue poussiéreuse, des amants s'embrassant dans un parc au crépuscule, un vieil homme exhalant son dernier souffle entouré de sa famille... Les images l'assaillaient, venues des quatre coins de la planète : océans, déserts, forêts silencieuses, réverbères solitaires, aires de jeux abandonnées...

On aurait dit que son esprit s'ouvrait entièrement. Lui qui pensait ne pas avoir sa place dans le monde avait le sentiment d'être relié à toute chose, d'être partie intégrante de toutes ces vies et non-vies, de tous ces lieux et non-lieux.

Et puis, invariablement, le rêve finissait par s'estomper. Une dernière vision surgie du néant lui envahissait l'esprit. Il voguait sur une mer agitée, au sein des ténèbres, ne faisant qu'un avec les vagues. Il sentait quelque chose bouillonner sous lui, avant de s'apercevoir que c'était une baleine qui fendait les remous puissants, ombre parmi les ombres, masse de muscle et de mélancolie qui était lui, aussi. Filant sur l'océan couleur d'encre avec, dessous, un abysse impénétrable et, au-dessus, un ciel infini, il se sentait en paix.

Une secousse le réveilla, puis la pression de sa ceinture. Il ouvrit les yeux, vit la cabine à peine éclairée. Il lui fallut une seconde pour se souvenir où il était, puis il comprit immédiatement.

Des turbulences. Il pensa à Mme Graham et aussi aux paroles de Barney. Il entendit quelques marmonnements et devina que tout le monde avait dû être réveillé de la même façon.

Les masques à oxygène étaient tombés, comme s'ils avaient été décrochés par le choc. À présent, ils dansaient au-dessus des fauteuils. C'était déjà arrivé à Tom une fois, il savait donc qu'il n'y avait rien à craindre…

Il y eut un autre ébranlement, si violent qu'il se propagea dans le fauteuil et le long de la colonne vertébrale de Tom, qui, projeté en l'air, fut brutalement retenu par sa ceinture. Tous les passagers étaient réveillés maintenant, des cris fusaient. Tom sentit monter l'adrénaline, son ventre se noua. Ça, ce n'était pas habituel.

La secousse suivante, plus terrible encore, fit vibrer toute la carlingue et s'accompagna d'un déchirement audible malgré les hurlements omniprésents. Des objets dégringolèrent des compartiments au-dessus de leurs têtes, et une dizaine de rangées plus loin, quelqu'un fut catapulté au plafond avant de s'écraser par terre.

Tout n'était que bruit, pourtant Tom s'aperçut qu'il en manquait un : celui des moteurs. S'agissait-il de simples turbulences ou étaient-ils bel et bien en train de se crasher ?

Bien qu'il fût incliné en arrière dans son siège, Tom n'avait pas l'impression qu'ils montaient. Il voulut regarder par le hublot, et n'y vit qu'obscurité. Puis un nouveau déchirement secoua les passagers et les cris redoublèrent. Tom sentit que Chris lui avait empoigné le bras.

Une commotion encore plus brutale fit lâcher prise à celui-ci. Tom, soulevé de son siège, accueillit avec joie la douleur qui lui scia le ventre quand la ceinture le retint. Puis il y eut une déchirure métallique qui se répercuta jusque dans ses dents et, malgré le vacarme, il entendit quelqu'un pleurer à l'avant de l'appareil.

Il fut brusquement projeté en avant, puis l'inclinaison s'accentua et il s'écrasa de nouveau dans son fauteuil. Nouveau déchirement. Cette fois, il eut la sensation que l'avion tout entier était sur le point de se désagréger.

Puis il y eut comme une détonation, et le sol parut se déformer sous ses pieds. La cabine s'emplit de débris, le toit au-dessus de lui s'ouvrit et, avant qu'il puisse voir ce qui se passait, les sièges devant lui furent éjectés vers les ténèbres, et l'air s'engouffra par la brèche béante. Pendant un instant très bref, ce fut comme s'ils s'étaient arrêtés mais que les sièges de devant, avec tout le reste de l'avion, avaient continué leur route avant de disparaître dans la nuit.

Barney hurlait d'une voix étonnamment grave. À l'évidence, il était sous le choc, répétant sans cesse une même syllabe inintelligible. Il ne se tut pas lorsqu'ils se remirent à bouger, vers l'arrière cette fois. De plus en plus vite.

Ils étaient assis au bord de ce qui restait de l'avion, leurs pieds pendaient au-dessus du vide, et Tom constata qu'ils ne se déplaçaient plus dans les airs mais sur le sol. Malgré le peu de lumière, il distinguait de la végétation au-delà de l'avalanche de débris qu'ils laissaient dans leur sillage.

Ils dévalaient une pente. Tom se prépara à l'impact. Barney hurlait toujours, et il n'était pas le seul. À côté de lui, Chris était muet, ce qui était plus effrayant encore. Combien de temps glisseraient-ils ? À quelle vitesse ? Tom ne distinguait qu'un flou de verdure qui défilait sous ses yeux.

Enfin la pente sembla s'adoucir petit à petit et, avec un dernier grincement métallique, l'avion, ou ce qu'il en restait, pivota légèrement sur son axe. L'arrêt abrupt repoussa Tom si durement dans son fauteuil qu'il eut l'impression qu'il allait passer à travers.

Le silence qui suivit fut si total, que Barney et les autres la bouclèrent momentanément. À cet instant, Tom sentit son cœur tambouriner dans sa poitrine, et tout à coup, il prit conscience de la nuit qui l'enveloppait, de l'air chaud, des sons étranges d'insectes et d'animaux qui faisaient comme des interférences en continu.

Et il comprit. Ils venaient de vivre une catastrophe aérienne. Leur avion s'était écrasé, avait été pulvérisé et ils avaient survécu.

Dans l'immédiat, du moins.

Chapitre 4

Tous se mirent à parler en même temps. Il n'y avait plus de hurlements, ni de pleurs, seulement des conversations confuses.

— Je t'avais dit qu'on allait s'écraser, lança Chris à Barney.

— Tu as aussi dit qu'on allait tous mourir. Pas vrai, Tom ?

Tom s'arracha à l'obscurité fascinante devant lui pour se tourner vers Barney.

— Ce n'est pas exclu.

Chris rit nerveusement.

— Non, mais sérieux, je me foutais de vous. J'ai jamais fait de rêve.

— Tu saignes, dit Tom.

Du sang coulait d'une petite entaille au front sur la tempe de Chris.

— Je me suis pris un truc, expliqua ce dernier, apparemment soulagé de changer de sujet.

Tom, qui s'étonnait soudain d'être capable de voir son camarade, leva les yeux et constata qu'une espèce d'éclairage d'urgence s'était allumé, baignant la cabine de sa faible lueur. Pourtant, le système électrique avait dû être réduit en pièces.

Les paroles de Barney se noyèrent dans le déluge des autres voix. Et puis, par-dessus tout ça, Joel cria :

— Stop !

Silence. Les voix se turent aussitôt. Comme Tom, Joel pendait à moitié au-dessus du vide, tel un passager de montagnes russes.

Maintenant que Joel avait l'attention de tout le monde, il pivota tant bien que mal sur son siège.

— Bien. Est-ce qu'il y a des blessés ? Vos voisins sont tous sains et saufs ?

Une rafale de réponses révéla l'incroyable : personne n'était gravement blessé. Joel leva la main pour endiguer la cacophonie qui menaçait.

— On se calme. Je crois qu'on s'est écrasés dans la jungle, alors il faudra probablement un moment avant que les secours arrivent. Ce qui veut dire qu'on doit rester calmes et organisés.

La voix de Chloé s'éleva du fond.

— Où est le reste de l'avion ?

On aurait dit qu'elle venait de remarquer qu'il n'était plus là.

— Parti, souffla Chris, qui n'avait plus du tout envie de plaisanter. Il s'est coupé en deux.

— Alors il pourrait y avoir d'autres survivants.

Personne ne répondit.

— Chris et moi, on va descendre voir à quoi ça ressemble en bas, déclara Joel.

— Pourquoi ? répliqua Chris du tac au tac. À mon avis, on devrait rester dans l'avion.

Barney se plia en deux pour s'adresser à Joel.

— On devrait tous descendre, si ce n'est pas dangereux. Il y a toujours de l'électricité. Elle vient de je ne sais où, peut-être d'une batterie auxiliaire, ce qui veut dire qu'il peut y avoir un court-circuit et un départ d'incendie. Tant que ce risque n'est pas écarté, on devrait tous quitter l'avion.

— Je veux quand même commencer par vérifier la zone, dit Joel.

Il détacha sa ceinture, le regard faussement déterminé, comme un gamin nerveux qui s'apprête à s'élancer du grand plongeoir.

— Holà, attends ! s'exclama Barney. Tu veux sauter ? N'y pense même pas ! Il y a la soute là-dessous, ça fait une chute d'au moins trois mètres, tout ça pour atterrir sur un fuselage déchiqueté. Il pourrait y avoir des arêtes tranchantes, toutes sortes de débris.

— Alors je vais descendre doucement.

— Pourquoi tu n'essaies pas les portes derrière nous ? Si on arrive à en ouvrir une, on devrait pouvoir déployer le toboggan d'évacuation.

— Bien. Tu viens avec moi.

Il parvint à s'extraire de son fauteuil pour se mettre en sécurité dans le couloir.

— Je vais aller voir dehors. Pendant ce temps, sortez tous vos téléphones. On ne sait jamais, l'un de nous arrivera peut-être à capter.

Joel semblait prendre les commandes et tout le monde fit ce qu'il demandait. Tom et Chris allumèrent leur portable en même temps. Pas de réseau. D'après les murmures dans la cabine, c'était la même chose pour tout le monde.

Chris leva son appareil en l'air, le fit bouger, espérant tomber sur un signal perdu qui passerait par là. Tom éteignit le sien. Il était probablement plus judicieux d'économiser la batterie pour le moment où ils en auraient besoin.

Derrière lui, ici et là, les ados commençaient à mentionner leurs parents, qui seraient morts d'inquiétude lorsqu'ils apprendraient pour le crash. Ironiquement, Julia s'était envolée pour l'Italie quelques heures avant le départ de Tom, et sa retraite de yoga avait lieu dans une zone blanche. Il se pouvait qu'elle ne sache rien avant deux semaines.

Ça lui faisait du bien de savoir ça, même si une petite part de lui était curieuse de savoir comment Julia aurait réagi si elle avait été à la maison. Elle aurait été choquée, bien sûr, mais est-ce que la nouvelle l'aurait vraiment affectée ?

Enfant, il racontait toujours à sa mère sa journée à l'école, ce qu'il avait fait, ce qu'il avait aimé, qui il appréciait, qui l'embêtait, tous ces petits triomphes et ces petites injustices qui faisaient la vie de l'école élémentaire. Et puis il y avait eu l'accident, et ses souvenirs des mois qui avaient suivi n'étaient que fragmentaires.

Par exemple, il se rappelait le jour où Julia était arrivée en lui disant qu'elle venait vivre avec lui. « Vivre » avec lui, pas « s'occuper » de lui. Du haut de ses neuf ans, il avait tout de suite compris que cette femme n'avait pas envie de l'entendre parler de sa journée d'école, des choses qui l'intéressaient ou l'ennuyaient. Alors il avait arrêté de parler tout court. Et puis, au fil du temps, il avait fini par ne plus trouver grand-chose d'intéressant ou d'ennuyeux.

Il n'en voulait pas à Julia. Elle était comme ça, voilà tout. Il en était même arrivé à l'admirer, à se sentir reconnaissant d'avoir accepté de prendre une responsabilité qu'elle n'aurait jamais pu prévoir et pour laquelle elle n'était pas faite.

Ce n'était la faute de personne, sauf peut-être de ce type qui avait tué sa mère et son père.

Il aperçut une lumière en bas, dans l'obscurité. C'était Joel, qui utilisait son téléphone pour éclairer son chemin. Barney avait raison : ils étaient loin du sol.

Joel haussa la voix pour se faire entendre.

— Il y a quelques branches, des trucs à escalader sur le côté, mais c'est plutôt dégagé devant l'avion. Ça sentait le brûlé vers l'arrière. Ça ne veut pas dire qu'il y a le feu, mais je pense qu'on devrait tous descendre.

Tous se mirent en mouvement, comme s'ils étaient arrivés à destination et avaient hâte de continuer leur périple.

Tom défit sa ceinture, Chris abandonna enfin ses essais sur son téléphone et l'éteignit, avant de glisser sur le siège de Barney jusqu'au couloir.

Tom ne bougea pas. Il écouta les autres sortir de l'avion, emprunter le toboggan. Les voix s'éloignaient peu à peu derrière lui pour émerger de nouveau en contrebas.

Une fois le silence retombé dans la cabine, il s'apprêta à s'en aller, quand il fut coupé net dans son élan : le ciel s'éclaircissait, et très vite la lumière tropicale illumina la colline qu'ils venaient de dévaler.

À présent, la réalité de ce qui venait de se passer s'étalait sous ses yeux. Du sommet de la colline jusqu'à l'endroit où il était assis, il vit le sillon creusé par la queue de l'avion, les arbres brisés, la terre retournée, les innombrables débris qui jonchaient la pente. Comment était-il possible que le petit groupe qui se serrait au pied de l'appareil soit parvenu à s'en sortir indemne ?

Chapitre 5

Tom se fraya un chemin vers l'arrière de l'avion. Le toboggan d'évacuation, bien qu'un peu tordu, était utilisable. Il se laissa glisser puis escalada les quelques branches qui le séparaient de la zone devant la carlingue, à distance du groupe.

Les ados contemplaient les restes de la cabine dont ils venaient d'émerger, parlant tous en même temps, tentant d'assimiler ce qui venait de se produire à présent qu'ils le voyaient de leurs propres yeux. Barney et Shen étaient même en train d'étudier les marques sur le fuselage tels des enquêteurs professionnels spécialisés dans les catastrophes aériennes.

Tom observa la colline, dont le flanc était semé de gros conteneurs en métal qui s'étaient déversés de la soute. Quelques-uns s'étaient ouverts, éparpillant valises et sacs à dos de randonnée.

Le sommet formait une crête qui avait initialement dû être recouverte d'arbres, mais l'avion y avait creusé un passage. C'était sans doute cette crête qui avait coupé le fuselage en deux, la partie avant s'étant très certainement écrasée de l'autre côté.

Le ciel était déjà d'un bleu immaculé, sans aucune trace de fumée. Tom jeta un coup d'œil à sa montre, toujours réglée sur l'heure de chez lui, et pour la première fois, il se sentit vraiment désorienté. Il vérifia qu'elle fonctionnait correctement, puis entreprit de gravir la pente.

La voix de Joel l'arracha à ses pensées.

— Hé, euh… Tom.

Il n'avait pas l'air certain du prénom. En fait, c'était la première fois qu'il lui adressait la parole. Tom se retourna et tous les regards se braquèrent sur lui.

— Tu vas où ?

— Là-haut.

— Je crois qu'on devrait rester groupés, jusqu'à ce qu'une équipe de secours arrive.

— Oui, approuva Chris. Tu sais, c'est comme dans *Sa Majesté des Mouches*.

Cette analogie boiteuse fit sourire Tom.

— Exactement, reprit Joel. On doit s'organiser.

— Eh bien, organisez-vous. Si je vois quelqu'un se pointer, je vous rejoins.

Joel opina. Peut-être devinait-il que Tom n'en ferait qu'à sa tête.

— D'accord. J'imagine que tu peux aller voir si tu trouves d'autres débris.

Tom s'était déjà remis en marche lorsque le concert de voix reprit, orchestré par Joel. Il n'avait fait que quelques pas lorsqu'il remarqua un carton rempli de bouteilles d'eau au bord du sillon ouvert par l'avion. Il se baissa pour en ramasser une. Il faisait déjà chaud.

Un peu plus loin, il atteignit le premier des conteneurs éventrés, avec des sacs à dos disséminés tout autour. Il en restait aussi quelques-uns à l'intérieur et il repéra le sien.

Il poursuivit son ascension, à bout de souffle. Son tee-shirt lui collait à la peau à cause de la forte humidité. Des nuées d'insectes l'environnaient. Ce serait l'enfer dans quelques heures. Un bout de carton par terre attira son attention. C'était la carte d'embarquement d'un certain Miguel Fernandez, qui était probablement mort à l'heure qu'il était. Sans réfléchir, il la glissa dans sa poche, puis inspecta les environs. Pourquoi ne voyait-il aucun corps ?

Il se souvenait d'avoir vu un passager catapulté hors de son siège et heurter le plafond, mais de toute évidence, le fuselage avait été tranché net : tout le monde avait dû rester attaché à l'intérieur. Certains avaient peut-être survécu, bien que cela parût le miracle de trop.

Il jeta un regard en arrière, surpris de voir le chemin qu'il avait déjà parcouru. D'ici, il pouvait contempler la queue de l'avion et le groupe d'ados qui se tenait devant. À cet instant, il sut de façon certaine qu'aucun d'eux n'aurait dû s'en sortir vivant. Cela figurerait dans les annales comme un événement improbable.

Il continua, de plus en plus conscient du vacarme alentour dû aux oiseaux, insectes et autres animaux qui pullulaient dans la jungle où ils avaient échoué. Pour toutes ces créatures, rien n'avait changé, et tôt ou tard, toute trace du crash serait lentement absorbée par le paysage. D'abord les corps, puis l'épave.

Il atteignit enfin le sommet, mais n'en tira aucune satisfaction. De l'autre côté de la crête, il découvrit un ravin profond au-delà duquel s'élevaient des collines plus abruptes encore. Quant au paysage derrière la queue de l'avion, densément boisé, il se déployait en ondulations douces jusqu'à d'autres collines basses dans le lointain. Une vaste étendue de vert, à perte de vue.

Tom se tourna de nouveau vers la vallée. Il lui fallut un moment pour distinguer les vestiges de l'avion, suffisamment éloignés de la crête pour supposer que l'appareil n'avait pas dévalé la pente mais avait été projeté au fond du trou. La carcasse était aplatie, froissée, la peinture calcinée comme si un feu l'avait engloutie en un éclair avant de s'éteindre tout aussi rapidement.

Impossible de prévoir s'il serait facile d'atteindre l'épave. Toutefois, il n'avait pas besoin d'y aller pour avoir la certitude qu'il n'y avait aucun survivant. Mme Graham et sa peur des turbulences, Jack Shaw et ses grandes jambes, Maisie McMahon et ses mystérieux problèmes de santé... Ils étaient tous morts. Comme Olivia, qui s'était plainte que Chris l'embêtait, sauvant par la même occasion la vie à ce dernier et coûtant la sienne à leur professeure de littérature anglaise.

Il y avait quelque chose d'extraordinaire là-dedans, ces mouvements aléatoires qui avaient déterminé qui vivrait et qui mourrait. La trajectoire de l'avion comptait aussi : s'il avait parcouru ne serait-ce qu'un mètre de plus avant de heurter la crête, Tom aurait fait partie de ces débris noircis en contrebas.

Il se souvint d'une famille qu'il avait vue à l'embarquement, probablement des Costaricains, avec deux filles. L'une d'elles devait avoir son âge, et Tom l'avait remarquée car elle était très jolie. Sa sœur, plus jeune, peut-être huit ou neuf ans, serrait une peluche dans sa main.

Comment ces deux filles pouvaient-elles être en bas, parmi les victimes ? Il ne les connaissait pas, ne les aurait probablement jamais revues, et pourtant, il avait plus de mal à accepter leur mort que celle de Mme Graham et des autres.

Une idée germa dans son esprit. Peut-être qu'elles n'étaient pas mortes. Peut-être étaient-elles prises au piège à l'intérieur et espéraient-elles être sauvées. Voilà pourquoi il avait pensé à elles et remonté le flanc de la colline. Telle était sa mission : les retrouver.

Le sentiment était si fort et l'emplissait d'une telle urgence qu'il fit un pas en avant sans le vouloir, puis un autre. Il n'y avait pas de temps à perdre. Il jeta un regard rapide à l'épave. Ce geste simple, effectué pour s'assurer qu'il allait dans la bonne direction, l'arrêta net et le ramena à la raison.

L'épave. Il n'y avait plus âme qui vive là-dedans. Ni les deux sœurs, ni Mme Graham, ni personne. Cette fois, la réalité le heurta de plein fouet. D'une certaine façon, elle paraissait plus choquante encore. Comment tous ces gens pouvaient-ils avoir disparu ainsi ?

Il songea à sa professeure, à la manière dont elle souriait pour encourager l'élève qui osait prendre la parole en classe. Puis aux autres, qui n'avaient été que des visages pour lui au lycée. Ils étaient tous partis.

Il ne voulait pas penser à eux, ne voulait pas imaginer leurs derniers instants terrifiants, ceux qui avaient abouti à cette carcasse aplatie comme une crêpe au fond de la vallée. Alors, il s'en détourna, et son regard vide erra parmi les arbres à gauche. Il lui fallut un moment pour comprendre qu'il distinguait un corps.

Coincé dans les branches d'un arbre, chemise bleue à carreaux, cheveux blonds. Tom scruta les alentours, sans rien repérer d'autre dans la végétation.

Il s'élança, peinant dans la pente traîtresse et couverte de buissons. Arrivé enfin au pied de l'arbre, il se retrouva dans la pénombre de la jungle, le corps presque hors de vue au-dessus de lui. Il le reconnut : Charlie Stafford. Tom le connaissait un peu. Bien qu'il n'eût pas l'air blessé, il était bien trop immobile.

Même à cette distance, son étrange position parlait d'elle-même : il était mort. À quoi bon essayer de le faire descendre, Tom ne pourrait pas l'enterrer. Et avec tous ces insectes partout, la nature reprendrait ses droits quoi qu'il fasse.

Un jour, Charlie lui avait emprunté un stylo. Par la suite, il lui avait dit bonjour chaque fois qu'il le rencontrait. C'était là toute leur relation. Tom se demanda comment Charlie pouvait être suspendu là-haut, à la fois présent et absent, apparemment en bonne santé, moins le sourire et la gentillesse.

Charlie était souvent perdu dans ses pensées. Un rêveur. Pourtant, cela semblait dérisoire à présent. Il était là, pareil à une enveloppe vide. Plus jamais il ne réfléchirait, plus jamais il ne rêverait, plus jamais il ne sortirait de sa bulle en sursaut lorsque quelqu'un le croisait dans le couloir en lui disant : « Hé, comment ça va ? »

L'air triste, Tom tourna les talons et entreprit de regagner la crête. Arrivé en haut, il s'assit et observa le groupe de rescapés, l'épave, les débris éparpillés, la jungle impitoyable. L'esprit encore très imprégné de l'image de Charlie, il éprouva un curieux soulagement de ne pas être allé secourir les deux sœurs.

Il tira la bouteille de sa poche et en but une gorgée. L'eau, quoique chaude, lui parut rafraîchissante sur sa langue et dans sa gorge. Il n'aurait jamais cru que boire de l'eau pouvait être aussi agréable.

Mais ce n'était pas que l'eau. Il avait beau avoir chaud, être épuisé après sa randonnée, avoir des bleus à cause de la ceinture de sécurité, avoir été secoué par la vue de l'épave et de Charlie suspendu dans un arbre, il ressentait une étrange sensation de bien-être. Était-ce une réaction au choc ? Il avait l'impression qu'il aurait très bien pu rester assis là, sur cette crête, pour toujours.

Bien sûr, c'était impossible. Il allait devoir rejoindre les autres, même s'il avait l'intuition qu'il serait mieux seul, qu'il n'était pas doué pour s'intégrer à un groupe.

Il se demanda s'ils avaient décidé d'un plan, s'ils y avaient ne serait-ce que songé. Peut-être qu'ils tuaient juste le temps en attendant les secours qui, à en juger par le paysage, mettraient un bon moment à arriver.

Un nouveau coup d'œil à sa montre, puis il fut de nouveau distrait par quelque chose en contrebas. Tout le monde était encore attroupé autour de Joel. Tous, sauf une personne, qui gravissait la colline dans sa direction.

Elle s'arrêta là où il avait ramassé une bouteille d'eau puis continua. C'était Alice Dysart. Elle était dans sa classe, et il doutait lui avoir jamais adressé la parole. Avait-elle décidé, comme lui, de faire bande à part ? Ou Joel l'avait-il chargée de le ramener ? Car pour ceux qui pensaient que *Sa Majesté des Mouches* était un guide de survie, il était probablement vital de rester groupés…

Chapitre 6

Alice progressait sans trop de difficulté. Son équilibre était parfait, comme si grimper une côte n'était pas plus fatigant que de marcher sur du plat. Pourtant, l'ascension lui prit du temps. Et dans cette chaleur humide, l'effort qu'elle exigeait d'elle laissait des traces ici et là sur son tee-shirt.

Pendant sa montée, elle regardait les débris mais jamais Tom, ce qui permit à ce dernier de surveiller son approche. Elle avait récemment coupé ses cheveux longs, peut-être en vue de ce voyage. Elle était jolie. Pour autant, il ne pensait pas avoir plus de choses en commun avec elle qu'avec n'importe lequel des autres.

Elle avait presque atteint le sommet lorsqu'elle fit halte pour le regarder enfin.

— Tu dois t'entraîner... lui dit-elle avec un sourire. Tu es monté à toute vitesse.

— Tu n'as pas eu l'air d'avoir trop de mal non plus.

— Ce n'est pas l'impression que j'ai eue, répliqua-t-elle avant d'ouvrir sa bouteille d'eau et d'en boire une gorgée. Ils me rendent folle en bas, et je pense qu'il va falloir un moment avant que quelqu'un arrive.

Elle contempla la végétation dense autour d'eux. Tom regarda à nouveau sa montre pour vérifier qu'elle fonctionnait. Il la tenait de son père, et elle ne l'avait jamais laissé tomber durant ces deux dernières années (avant, il avait le poignet trop fin pour la porter). Pourtant, si ce qu'elle indiquait était vrai, ça n'avait aucun sens, à moins qu'ils ne se soient téléportés.

— C'est la deuxième fois que je te vois consulter ta montre. Il y a un problème ?

Il était surpris qu'elle s'en soit rendu compte, de la même façon qu'il était surpris chaque fois que quelqu'un le remarquait, lui. Avant qu'il puisse répondre, elle poursuivit :

— Non, tu me le diras après. D'abord, je veux voir ce qu'il y a de l'autre côté de cette crête.

Elle fit quelques pas jusqu'à Tom, qui se leva pour observer avec elle la canopée. Elle repéra l'épave.

— Oh.

Un mot, à peine plus qu'un soupir. Elle parut se ratatiner, privée de ses forces par cette vision plus qu'elle ne l'avait été par l'ascension. Tom se souvint qu'elle avait un petit ami dans l'équipe de football, Ethan. Peut-être était-ce pour ça qu'elle était montée jusqu'ici.

— Ça a dû être rapide. C'est déjà ça, j'imagine.

Si elle avait compté se rassurer en prononçant ces paroles, ça ne fonctionna pas.

— Désolé pour ton copain, dit Tom.

Elle se tourna vers lui, au bord des larmes, la gorge serrée, et se força à dire :

— Ex-copain. Je pensais que tout le monde savait qu'on avait rompu.

Il ne répondit pas. Elle hocha la tête, consciente que Tom n'était pas tout le monde. Et peut-être est-ce pour cette raison qu'elle continua de parler tout en se remettant à scruter le paysage.

— Je ne sais même pas pourquoi je suis sortie avec lui. On n'avait rien en commun, mais...

Elle laissa sa phrase en suspens.

Mais. Ça résumait bien les choses.

— Je suis désolé quand même.

— Merci.

Après un profond soupir, elle se détourna de l'épave, comme Tom avant elle. De la même façon, son regard erra dans la forêt avant de s'arrêter. Elle pointa une forme du doigt.

— Oh, mon Dieu ! Est-ce que c'est un corps ?

— Oui, c'est le seul que j'ai vu. Je me suis approché, mais il est trop haut dans les branchages, impossible de l'atteindre.

— Qui c'est ?

Elle était nerveuse, comme si elle redoutait de connaître la réponse.

— Charlie Stafford.

Il crut lire du soulagement sur son visage, peut-être parce qu'il ne faisait pas partie de ses amis. Pourtant, eux aussi étaient forcément morts.

— Je ne le connaissais pas. Ça fait tellement bizarre.

Tom la comprit à demi-mot. C'était étrange de penser qu'elle ne connaissait pas Charlie et qu'elle n'en aurait jamais l'occasion.

Il pensa à Charlie, lui aussi, se demanda pourquoi il ne s'était pas donné la peine d'avoir une conversation normale avec lui. Peut-être qu'ils auraient pu devenir amis si Tom avait fait un effort. Il ne le saurait jamais.

— Je préfère ne pas y penser, dit Alice en tournant le dos au corps. Tu crois que c'est égoïste ?

Tom secoua la tête, cependant elle garda les sourcils froncés, pas convaincue. Puis elle désigna son poignet.

— Pourquoi tu regardes sans arrêt ta montre ?

Il jeta un coup d'œil distrait au cadran.

— On s'est écrasés il y a environ une demi-heure, et le soleil vient de se lever, il doit donc être aux alentours de six heures du matin.

Alice écarquilla les yeux. Elle avait dû se souvenir brusquement de l'heure à laquelle ils étaient censés arriver.

— Exactement, continua Tom. On aurait dû atterrir la nuit dernière à vingt-deux heures heure locale, vingt-trois heures chez nous, mais on vient tout juste de s'écraser, ce qui veut dire qu'on a continué de voler pendant encore six à sept heures. J'imagine que c'est pour ça que le feu s'est éteint si rapidement en bas. Il n'y avait plus de carburant.

— Mais si on a continué à voler pendant sept heures après le Costa Rica...

— ... on aurait dû être quelque part dans l'océan Pacifique... Le pilote a sans doute changé de cap.

— Comme l'avion malaisien.

— Comme l'avion malaisien. C'est pour ça que je regarde ma montre, parce qu'elle est réglée sur le fuseau horaire de chez nous. Ça va bientôt être l'heure du petit déjeuner.

Elle fut distraite par ce dernier détail. Elle songeait probablement à sa famille qui devait avoir appris la nouvelle à présent et devait être bouleversée.

Pour lui changer les idées, Tom se hâta d'ajouter :

— Il y a une heure de moins que chez nous au Costa Rica, mais j'ai l'impression que ma montre est à peu près juste. Ça veut dire qu'on est dans le même fuseau horaire que chez nous, et d'après le paysage...

41

— Alors on est en Amérique du Sud. Mais si l'avion a volé sept heures de plus, on pourrait être n'importe où, Vénézuela, Brésil, Colombie…

Elle marqua une pause, puis répéta d'une voix pleine de résignation et de sous-entendus :

— On pourrait être n'importe où…

Si le pilote avait volontairement changé de cap, il avait dû couper les transpondeurs, comme ç'avait été le cas avec l'avion malaisien. S'ils avaient volé sept heures hors de portée des radars, ils pouvaient être effectivement n'importe où dans un périmètre de centaines de milliers de kilomètres carrés. Même avec les données satellitaires pour réduire la zone de recherche, les forêts équatoriales d'Amérique du Sud étaient certainement aussi difficiles à sonder que n'importe quel océan.

Il n'y aurait pas de secours. À présent, c'était une certitude pour lui : à moins que quelqu'un ait vu ou entendu l'avion s'écraser dans l'obscurité juste avant l'aube, c'était comme s'ils avaient disparu de la surface de la Terre.

À l'heure qu'il était, ils devaient constituer un mystère qui saturait les informations partout dans le monde. Mais lui et les autres connaissaient la réalité de ce mystère : la plupart étaient morts, et les survivants n'auraient d'autre choix que de se frayer un chemin dans cette vaste jungle hostile.

Alice s'assit là où s'était arrêté Tom quelques minutes plus tôt. Elle regarda en bas de la colline : ils restaient tous agglutinés autour de Joel, qui s'était juché sur une caisse.

Tom s'installa près d'elle et but une petite gorgée d'eau, conscient qu'ils allaient devoir économiser leur stock. Il s'était toujours imaginé Alice comme une sacrée bavarde, peut-être parce qu'elle appartenait à une bande où les filles étaient de vraies pipelettes. Pourtant, elle semblait apprécier de rester assise en silence.

Tous deux regardaient en bas, où il ne se passait rien, tandis qu'autour d'eux le paysage chuchotait et vibrait et que le ciel demeurait désespérément vide.

Au bout de quelques minutes, Alice prit la parole.

— Qu'est-ce qu'on devrait faire, à ton avis ?

Ça ne lui avait pas vraiment traversé l'esprit jusque-là. Il s'était déjà résigné au fait que les secours n'arriveraient pas, qu'ils devraient se débrouiller tout seuls, mais il n'avait pas réfléchi un instant à la manière de procéder ni à leurs chances de réussite.

— Dresser un camp. Attendre un jour ou deux, peut-être trois, au cas où. Et puis élaborer un plan pour s'en sortir.

Du coin de l'œil, il la vit acquiescer.

— Tu crois que les autres seront d'accord ?

Alors qu'elle posait la question, la voix de Joel parvint jusqu'à eux, apparemment pour ramener l'ordre dans le groupe.

— Peu importe ce que feront les autres, répondit Tom. Je reste trois jours maximum et je m'en vais.

— Je viens avec toi.

Il la scruta, étonné qu'elle veuille l'accompagner. Elle haussa les épaules, apparemment gênée.

— C'est juste… Il faut qu'on s'en aille.

— D'accord. Trois jours, alors.

— Trois jours.

Chris se détacha du groupe en bas, parcourut une vingtaine de pas, puis leur fit signe de redescendre.

Alice lui indiqua qu'elle avait compris. Elle se leva et se retourna. Tom marqua une hésitation avant de l'imiter.

— Trois jours, pas un de plus, dit-il, sentant la nécessité de lui faire comprendre que ce n'étaient pas des paroles en l'air.

Elle hocha la tête puis ils entreprirent de redescendre.

Chapitre 7

En cours de route, Tom récupéra son sac à dos dans le conteneur, et Alice le sien un peu plus bas. Elle vérifia qu'il n'y avait pas d'insecte dessus avant de le passer sur son épaule. Tom s'arrêta encore pour prendre le carton de bouteilles.

Le brouhaha dans le groupe s'estompa à leur approche.

— Qu'est-ce qui est arrivé au reste de l'avion ? les questionna Chloé avant qu'ils soient tout à fait arrivés à leur hauteur.

Son ton était si pressant que Tom se demanda si elle avait un proche ou un petit ami à l'avant, ou bien si elle avait désespérément besoin d'entendre que tout le monde avait survécu.

— Complètement détruit, répondit Alice. Ils sont tous morts.

Chloé écarquilla les yeux, stupéfaite, et d'autres exclamations indiquèrent qu'elle n'était pas la seule à être saisie. Deux ados se mirent même à pleurer. Pourtant, Tom avait du mal à croire que quiconque parmi eux puisse être réellement choqué par la nouvelle. Triste, peut-être, mais pas choqué. Le vrai choc, c'était qu'ils soient là, eux, debout, en train de respirer. Ils avaient sûrement deviné ce qui était arrivé au reste de l'avion, mais d'en entendre la confirmation semblait les frapper plus que le crash en lui-même.

Une fois de plus, la voix de Joel couvrit celle des autres.

— Est-ce que vous êtes allés inspecter les débris ?

Bien qu'il eût toujours ce ton d'apprenti politicien en plein débat de société, on décelait désormais des intonations autoritaires dans sa voix. À l'évidence, il avait endossé le costume de chef du groupe. Cela irritait Tom, et peut-être Alice aussi, car elle lui répondit avec défiance.

— Non. La vallée est vaste, l'avion est loin en bas.

— N'empêche...

Alice était lancée, et avant qu'il ne puisse terminer, elle lui coupa la parole.

— Mais il y a quelque chose de plus important.

— Plus important qu'aider les autres ? se récria Chloé entre deux sanglots, outrée.

— Il n'y a personne d'autre à aider, alors oui, c'est plus important. Il n'y aura probablement pas de secours. Personne ne viendra nous chercher.

Les bavardages reprirent, de nouveau réprimés par Joel.

— Taisez-vous !

Tout le groupe s'exécuta. Apparemment, ils acceptaient son autorité.

— De quoi tu parles, Alice ?

— C'est Tom qui a compris.

Tom eut conscience que tout le monde le lorgnait. Alice poursuivit :

— On aurait dû atterrir au Costa Rica il y a sept heures environ. Or ça n'a pas été le cas, on a continué à voler, et si on n'a pas sombré dans l'océan, c'est que le pilote a forcément changé de cap. On pense qu'on est en Amérique du Sud, pas du tout à l'endroit prévu.

La cacophonie reprit, et cette fois, Joel n'intervint pas.

— J'ai essayé de leur expliquer la même chose, déclara Barney. Ils n'ont pas voulu m'écouter. C'est pour ça que les masques à oxygène étaient déployés et que tout le monde dormait. Quand on vole trop haut, tous les passagers perdent connaissance. Ça n'a probablement pas duré longtemps, juste le temps de nous assommer. Ou peut-être que le pilote a bidouillé l'arrivée d'air. Mais s'il s'est écrasé sur cette colline, il l'a fait exprès, j'en suis certain. Peut-être qu'il a voulu passer en rase-mottes, ou qu'il voulait que l'avion se crashe dans la vallée. Quoi qu'il en soit, on ne devrait pas être là.

Tom hocha la tête et leva les yeux vers les fauteuils au-dessus d'eux. Les lumières dans la cabine s'étaient éteintes, et aucun feu ne s'était déclaré. Pour le moment, du moins.

— OK, dit Joel, ce qui coupa court à toute discussion. Vous avez raison, bien sûr, et il nous faut donc être encore plus concentrés et coordonnés. J'ai bien entendu ce que vous avez dit au sujet de l'épave, mais nous allons y jeter un coup d'œil, au cas où. Chris, vas-y avec Toby.

Toby était un ami de Joel. Sportif et sans beaucoup de personnalité, il était celui qui devrait pouvoir arriver jusqu'à l'épave sans encombre. Chris était trop corpulent, et Tom l'imaginait déjà peiner pour grimper la première côte. Ils partirent sur-le-champ, tels de parfaits petits lieutenants.

Kate, qui était en cours de littérature avec Tom, décida de les accompagner.

Joel sourit.

— Je ne crois pas que…

Il fut interrompu par Emma, qui était aussi en cours de littérature avec Tom. Kate et elle étaient inséparables et se ressemblaient tant (même taille fine, mêmes longs cheveux noirs) qu'il lui avait fallu des mois pour savoir qui était qui.

— Laisse-la les accompagner. C'est complètement son truc.

Tom ne voyait pas très bien ce qu'elle entendait par là, et à l'évidence, Joel non plus.

— Écoutez, tout le monde aura son rôle à jouer, dit ce dernier avant de se tourner vers Barney. Va avec eux. Tu sauras s'il y a quoi que ce soit qu'on peut récupérer de l'avion : de l'équipement radio, des trucs de ce genre.

Barney n'avait pas l'air convaincu. Lui non plus n'était pas vraiment taillé pour une randonnée à travers la forêt. Il était petit et semblait bien plus jeune que tous les autres. Néanmoins, il accepta avec un haussement d'épaules puis le trio s'en alla tandis que Kate et Emma échangeaient un regard exaspéré.

Les trois garçons n'avaient fait que quelques pas lorsque Tom les héla. Il tira trois bouteilles du carton et leur en lança une à chacun. Ils le remercièrent (tout juste un signe de tête de la part de Toby) puis reprirent leur route.

Leur départ sembla rassurer Chloé, comme si le simple fait d'aller là-bas ramènerait des gens à la vie.

— Qu'est-ce qu'on fait maintenant, Joel ?

— Il faut s'organiser. On risque de rester là un jour ou deux, alors il faut récupérer tout ce qui pourrait servir. Commencez par aller chercher vos sacs et toutes les valises, même celles qui appartiennent à d'autres passagers. Elles pourraient contenir des choses utiles.

— On ne devrait pas d'abord faire un feu ? interrogea Shen.

Joel secoua la tête, dubitatif, et lui répondit d'une voix vaguement condescendante :

— À mon avis, c'est pas la peine de s'inquiéter du froid, Shen. Ça peut attendre. D'ailleurs, si vous trouvez de la crème solaire, vous devriez tous en mettre. On va vite brûler ici.

— Même moi ?

Tout le monde se tourna vers George. Le futur politicien, un peu déstabilisé par la question, peina à trouver ses mots :

— Euh, eh bien, tu sais, euh, même une peau noire... Je veux dire par là...

— T'inquiète, je te fais marcher, s'exclama George avec un grand sourire.

— Oh, d'accord, oui, eh bien... J'imagine que l'humour a toujours sa place. (Joel se tourna vers le reste du groupe.) Allez tout le monde. Au boulot !

Immédiatement, tous s'activèrent, et même ceux qui étaient jusque-là restés désespérément agglutinés les uns aux autres se dispersèrent sur le flanc de la colline pour fouiller les débris.

Alice posa son sac et se tourna vers Tom.

— Tu peux garder un œil dessus ? Je vais aider les autres à trouver le leur.

Il accepta d'un hochement de tête et elle partit rejoindre ses amis plus haut.

Joel était l'avant-dernier à quitter leur campement imaginaire. Il jeta un regard en direction de Tom, sentit probablement que son autorité n'avait aucun effet sur lui et lui adressa un signe de tête dont Tom ne comprit pas le sens puis s'en alla. Un instant plus tard, on l'entendait déjà répondre aux questions ou donner des instructions.

Il ne restait plus que Shen.

— Faire un feu est plus important que récupérer des bagages. Plein de choses sont plus importantes que des bagages, dit-il à Tom.

Ce dernier était un peu étonné de voir que Barney et Shen se tournaient vers lui pour exprimer leur frustration. S'ils attendaient qu'il propose de prendre la tête du groupe, ils se trompaient. Certes, Joel lui paraissait être le genre de personne qui aimait commander, sans pour autant être capable de le faire correctement. Pour autant, Tom n'avait aucune envie de prendre sa place.

Il fit glisser son sac de son épaule puis lança une bouteille d'eau à Shen, qui le remercia et en but une gorgée.

— Qu'est-ce que tu commencerais par faire, toi ?

— Un feu, pour sécuriser la zone, répliqua Shen. Il y a plein de choses ici qui pourraient nous tuer. Des grosses et des petites.

Comme pour appuyer ses propos, un insecte bourdonna près de l'oreille de Tom, qui l'éloigna d'un geste.

— Et il faut vérifier nos stocks de nourriture et d'eau.

— Alors, allons voir dans les réserves.

Shen jeta un regard en direction de Joel, ce qui fit ajouter à Tom :

— À moins que tu veuilles d'abord demander la permission à Joel ?

Shen sourit et secoua la tête, puis ils se dirigèrent vers l'arrière de l'avion.

Chapitre 8

Escalader un toboggan d'évacuation, même à hauteur réduite, était plus ardu qu'en descendre. Tom monta le premier, puis aida Shen à se hisser.

— Le toboggan pourrait nous servir pour autre chose, dit Shen, une fois à l'intérieur. Mais il va falloir faire des marches ou trouver une échelle.

Tom était du même avis, car il avait tout de suite compris que l'avion (ou ce qu'il en restait) était l'endroit le plus sûr pour eux, en particulier à la nuit venue.

— Normalement, les toilettes ont besoin d'électricité pour fonctionner, continua Shen. On devrait pouvoir les bidouiller pour les rendre utilisables, au moins quelques jours. Mieux vaut ne pas aller faire nos besoins dehors. L'urine attire les rongeurs, et les rongeurs attirent les serpents.

Shen arborait un sourire incertain, comme s'il avait peur de passer pour un monsieur Je-sais-tout.

— C'est super que tu saches tout ça. Je ne crois pas qu'on se soit déjà parlé avant.

— Ben, on n'est pas dans la même classe, alors...

Il y avait un soupçon de nervosité dans la voix de Shen, comme s'il sentait qu'il était en train de discuter avec quelqu'un de dangereux. Tom tenta de le rassurer :

— En fait, je ne parle à personne.

— Je sais. Tu voulais aller inspecter les réserves ?

Ils passèrent en revue les stocks de nourriture, d'eau, de sodas et d'alcool. Shen examina l'équipement et les ustensiles pour voir ce qui pouvait être réutilisé ailleurs. Lorsque Tom dénicha les trousses de secours, Shen était transfiguré. Il étudia chaque objet avec minutie, bien plus intéressé par la pompe manuelle et les fournitures médicales que par le pistolet lance-fusée ou les couteaux.

Après leur inspection silencieuse dans l'espace étroit de la zone de stockage, Shen était plus à l'aise avec Tom.

— Une bonne partie de la nourriture doit être mangée aujourd'hui. La viande, le riz. Et encore, il va falloir les réchauffer, ce qui veut dire qu'on aura besoin d'un feu. Quelques légumes et des patates peuvent être gardés jusqu'à demain, et les viennoiseries et les autres aliments encore emballés un peu plus longtemps. L'eau va peut-être poser problème. Si on fait attention, on devrait pouvoir tenir quelques jours, mais dix-neuf personne, ça fait beaucoup, beaucoup d'eau. Bien sûr, s'il pleut, on pourra collecter l'eau de pluie, la faire bouillir, ou utiliser les tablettes purifiantes si besoin est.

Tom fit un geste en direction des canettes.

— On a ça aussi.

— Oui, mais on devrait les garder en réserve, au cas où on décide de partir. Parce qu'elles sont transportables. Et on pourrait avoir besoin de l'alcool pour nettoyer les plaies.

— Tu t'y connais dans ce genre de trucs ?

— Mes parents sont médecins. Moi, je voudrais être chirurgien.

— Cool.

— Oui. Sauf que je préférerais que ma carrière médicale ne commence pas tout de suite.

Tom rit avant d'enchaîner :

— Alors, selon toi, on peut survivre avec ce qu'il y a là pendant deux ou trois jours ?

— Si on fait attention.

Tom repensa à la jungle qu'il avait regardée de la crête. Combien de temps leur faudrait-il pour en sortir ? Combien de provisions ? Puis il s'aperçut que Shen l'observait.

— Tu penses que personne ne viendra.

— Et toi ?

Shen secoua la tête et Tom continua :

— À mon avis, le pilote a beaucoup réfléchi à tout ça. Il ne s'attendait pas à ce qu'il y ait des survivants, et il ne voulait pas qu'on puisse retrouver l'épave.

— C'est ce qu'a dit Barney.

Face au regard interrogateur de Tom, Shen ajouta :

— Tu crois que je sais plein de choses, mais Barney en sait dix fois plus. Ce sera certainement un inventeur milliardaire.

L'infortuné garçon, parti pour une mission inutile et probablement dangereuse, devait à cet instant galérer pour descendre dans la vallée et atteindre l'épave. Tom espérait qu'il ne lui arriverait rien, car il avait l'intuition que Shen et Barney joueraient un rôle crucial dans leur survie.

— Accompagne-moi en haut de la colline, Shen. Dis-moi ce que tu penses du terrain.

— Tu réfléchis déjà à t'en aller ? rétorqua Shen avec une pointe de curiosité.

— J'y réfléchis, oui. Je me donne deux ou trois jours, pas plus. Alice veut venir, elle aussi.

— Et les autres ?

— Je ne suis pas avec les autres.

Shen sourit avant de redevenir sérieux.

— Si tu pars, je viens avec toi. Barney aussi.

— D'accord. Mais on garde ça pour nous. Tu peux en parler à Barney, à personne d'autre. Je n'ai pas envie que ça devienne une sorte de... débat, ajouta Tom.

À sa grande surprise, Shen lui serra solennellement la main, comme s'ils venaient de conclure un pacte. C'était peut-être le cas. Et Tom était sûr d'une chose : s'il devait traverser la jungle, il préférait le faire avec un scientifique plutôt qu'avec un délégué de classe.

Chapitre 9

Le temps qu'ils ressortent, toute une collection de bagages s'était amoncelée devant l'avion. Les ados continuaient d'aller et venir, trempés de sueur. La plupart riaient et discutaient : peut-être que le plan de Joel avait au moins servi à leur redonner le moral.

Tom récupéra son sac et celui d'Alice pour les ranger dans ce qui restait de la soute. Il laissa le carton d'eau là où il était, même s'il ne comprenait pas pourquoi personne n'avait encore pris de bouteille.

Tom et Shen s'élancèrent sur le chemin, apparemment sans être remarqués. Alice passa à côté d'eux, un sac à dos à la main, et adressa un vague sourire à Tom.

— Hé, Shen ! héla soudain Joel. Tu vas où ?

— On va en haut de la colline, avec Tom.

Le regard de Joel se dirigea vers Tom, puis revint sur Shen.

— OK. Peut-être que vous pourrez aider les trois autres.

Tom ne s'était pas arrêté. Shen le rattrapa en quelques secondes et ils continuèrent en silence. C'était la deuxième fois que Tom entreprenait cette ascension en une heure, et déjà, il sentait la différence : la chaleur était plus intense, plus étouffante, et le bourdonnement des insectes incessant.

Lorsqu'ils furent arrivés au sommet, Shen scruta la vallée de l'autre côté jusqu'à ce qu'il localise l'épave.

— Barney leur a sans doute dit qu'ils perdaient leur temps…

Mais ils y étaient tout de même allés. Chris et Toby avaient dû se rendre à l'évidence : il n'y avait pas d'autres survivants. Tom essaya brièvement de capter leurs voix ou le bruit de leur progression, mais il n'y avait rien, hormis le bruit ambiant et quelques bavardages derrière eux.

Tom regarda à gauche, dérouté. Il ne voyait plus le corps de Charlie. Au bout de quelques secondes, il repéra le bleu de sa chemise parmi les branches, quelques mètres plus bas que tout à l'heure. Était-ce l'œuvre d'un animal, ou alors des autres ?

— Tu irais par où, toi ? finit-il par interroger.

— Pas par là, répondit Shen en désignant les collines au-delà de la vallée où reposait la carcasse de l'avion. Ça a l'air plus haut, ce qui veut dire qu'on pourrait avoir une meilleure vue, mais faire une journée de marche juste pour avoir une meilleure vue… Avec le risque que, derrière, les collines soient encore plus hautes. (Il pivota lentement pour s'imprégner de tout le panorama, puis pointa l'index sur la droite.) Tu vois cette ligne, là ?

Tom plissa les yeux. Il lui fallut un moment pour distinguer la légère irrégularité serpentant à travers la canopée.

— Tu crois que c'est un fleuve ?

— Oui. J'imagine que ce serait trop demander que ce soit une route. Mais si c'est un fleuve, on peut voir dans quel sens il s'écoule et on peut le suivre. Il n'y a aucune garantie, mais c'est notre meilleure chance de nous en sortir. (Son regard se fixa sur un léger écart entre deux collines au loin.) Il va probablement par là, descend des hauteurs derrière nous et passe par cette trouée.

— Alors suivons le fleuve et espérons que le pilote ne nous a pas largués à mille kilomètres de tout.

— Suivons le cours du fleuve, pas le fleuve, corrigea Shen. Il y a plein de choses dans l'eau et autour qui pourraient vouloir nous manger. Donc on suit son cours, mais on garde nos distances.

— Hé, vous deux, venez nous donner un coup de main ! cria soudain Chris.

Il leur fallut quelques secondes pour le repérer dans les arbres. Comment avait-il fait pour les voir ? Mystère. Tom commença à descendre la pente.

Ils avaient déjà fait un bout de chemin lorsque, enfin, ils les virent distinctement. Chris avançait avec peine en portant quelqu'un sur son dos. La première pensée de Tom fut qu'il avait eu tort, qu'ils avaient retrouvé un survivant. Il écarta rapidement cette hypothèse, puis crut que Barney était blessé. Aussi, il sentit un étrange soulagement lorsqu'il aperçut ce dernier derrière Chris.

Et il comprit enfin : c'était Toby. Toby, celui qu'il s'imaginait être le plus athlétique des trois. Son visage qui ballottait sur l'épaule de Chris n'augurait rien de bon.

Lorsqu'ils se furent tous rejoints, Barney aida Chris à allonger Toby sur le sol.

— Il a glissé et quelque chose l'a mordu au bras, expliqua Chris.

— C'était quoi ? demanda Shen.

— Sans doute un serpent, répondit Barney. La morsure y ressemble, en tout cas.

— Il faut qu'on le ramène, ajouta Chris. Il est mal en point.

Que Chris l'ait transporté pendant tout ce temps émut Tom. Car Toby, étendu sur le dos au milieu de la forêt, n'avait pas du tout l'air mal en point. Il avait l'air mort.

Shen s'accroupit près de lui pour vérifier son pouls, ses yeux, puis son pouls à nouveau, laissant cette fois plus longuement ses doigts contre le cou du garçon. Les autres observaient. Chris arborait une expression de perplexité mêlée d'horreur, comme s'il ne pouvait pas accepter que celui qu'il avait eu tant de mal à porter était déjà parti pour un voyage bien plus lointain.

Shen leva les yeux vers Chris.

— Il est mort. Barney, tu crois que ça aurait pu être une vipère ? On dirait qu'il a été en état de choc.

Barney était perdu dans ses pensées.

— On n'a rien vu, répondit-il distraitement, mais peut-être que oui. Les traces de crochets ont l'air profondes. Il... oui.

— C'est dingue ! J'étais en train de porter un mort !

Le visage de Chris était parcouru de tics nerveux, ses yeux clignaient rapidement. En regardant Shen étudier la blessure à l'avant-bras de Toby, Tom en tira une leçon essentielle : ça aurait pu être n'importe lequel d'entre eux. Ils étaient tous des survivants en sursis, à la merci d'une chute, d'une morsure... Et la mort rôdait partout.

Comme s'il avait lu dans les pensées de Tom, Barney prit la parole.

— Il faut que Joel comprenne à quel point c'est dangereux, ici.

Chris sembla penser que le commentaire s'adressait à lui en particulier.

— Oui, je vais lui parler, dit-il avant de baisser les yeux vers le corps. Il va falloir le ramener et l'enterrer.

Shen leva les sourcils.

— Avec quoi, et où ? On n'a pas d'outils, et la terre… (Il frappa du pied sur le sol.) On n'arrivera pas à creuser suffisamment.

— On ne peut pas l'abandonner là.

— Vous avez bien laissé les gens dans l'avion, fit remarquer Tom.

— C'est différent. Ils étaient tous calcinés et…

— Pas tous, coupa Barney d'une voix tremblante. Je veux dire, ils étaient tous morts. C'est certain. Mais ils n'étaient pas tous brûlés. Ça aurait peut-être été mieux si… si ça avait été le cas.

Chris hocha la tête. À l'évidence, ils avaient été bouleversés par la vision de tous ces corps disloqués, et voir Toby mourir n'avait fait qu'amplifier ce traumatisme.

— Peu importe, répondit Tom. Vous les avez laissés parce qu'il le fallait, et on va le laisser là, lui aussi. Si les secours arrivent, on pourra leur dire où chercher.

— Tu as raison, acquiesça Chris, à demi convaincu. Est-ce qu'on devrait dire quelques mots ?

Tom, empli de colère, considéra le cadavre. Toby était si désireux d'obéir aux ordres de Joel qu'il avait négligé la plus élémentaire prudence : il avait manqué de respect envers la jungle, au point de succomber à une menace parfaitement évitable. Maintenant, il était mort, sans aucune raison, et Tom ressentit un besoin soudain, presque physique, de s'éloigner de lui.

— Comme tu veux.

Et il tourna aussitôt les talons pour remonter la colline.

Chapitre 10

Apparemment, aucun éloge funèbre ne fut prononcé, puisque Chris, Shen et Barney étaient juste derrière lui lorsqu'il atteignit la crête. À quoi servaient les mots, de toute façon ? Il se souvenait d'un paquet de paroles aux funérailles de ses parents, de celles qui racontaient à quel point ils avaient été des amis extraordinaires, qu'on ne les oublierait jamais, et même à son âge à l'époque, il s'était demandé à quoi tout cela pouvait bien rimer.

Tom s'arrêta sur la crête. En bas, le groupe était toujours au travail, cependant le plus gros des bagages avait été dégagé de la pente.

— Je pense que c'est à moi de leur annoncer, dit Chris.

Il semblait croire que Tom pourrait avoir une objection, comme s'il y avait une sorte de gloire à être celui qui annoncerait la nouvelle.

— Ça me va, répondit Tom.

Chris se tourna ensuite vers Shen et Barney, craignant peut-être qu'ils ne veuillent lui voler la vedette, puis redescendit, propulsé par sa carrure et son envie de tout raconter.

Shen et Barney discutaient à voix basse en scrutant la jungle. Shen avait dû mentionner leur découverte, car

Barney observa l'horizon avant de pointer du doigt le creux entre les collines où devait passer le fleuve.

— Shen m'a parlé de ton plan, dit-il à Tom.

— C'est pas vraiment un plan.

— N'empêche. Je voudrais venir, si ça ne te dérange pas.

— Ça ne me dérange pas du tout.

Chris avait presque atteint la queue de l'avion, et les ados encore affairés sur le flanc de la colline abandonnèrent leur tâche pour le rejoindre. La foule s'amassa rapidement autour de lui et des exclamations horrifiées s'élevèrent bientôt dans l'air étouffant.

Barney les ignora, concentré sur l'empilement de bagages devant la carcasse de l'avion.

— Qu'est-ce qu'ils fabriquent ? C'est le moment de faire un feu.

— Je leur ai dit, mais Joel pense que ce n'est pas la priorité.

— Abruti.

— Peut-être qu'il faut lui donner une bonne raison d'en faire un, intervint Tom. Venez.

Il redescendit, suivi des deux autres.

Tout le groupe était réuni autour de Joel et de Chris. Il y avait trop de voix, trop de questions, pas assez de réponses, et Joel se lança dans une tirade :

— Écoutez, on ne peut rien y faire dans l'immédiat. Nous devons simplement rester calmes et vigilants.

Alice se tenait un peu à l'écart. Tom lui fit signe de le rejoindre derrière l'avion.

— Qu'est-ce qui se passe ?

— On a besoin de ton aide, répondit Tom. Tu connais Shen et Barney ?

— Non. Bonjour. (Elle leur serra la main, ce qui parut amuser Barney.) Moi, c'est Alice.

— On sait qui tu es, toi ! s'exclama Barney, redoublant d'hilarité.

— Remontons à bord, dit Tom. Barney, tu pourrais trouver des boîtes ou des valises rigides qu'on puisse utiliser comme escalier ? Ce serait plus facile.

— Absolument.

Tom escalada le toboggan et se pencha ensuite pour hisser Alice, puis Shen.

— Lara veut venir aussi, fit savoir Alice. Je lui ai fait promettre d'en parler à personne d'autre.

Elle regarda Shen avec inquiétude.

— Je viens aussi, la rassura-t-il. Comme Barney.

— On a vérifié les réserves de nourriture, enchaîna Tom. En faisant gaffe, on pourrait tenir quelques jours.

— Bonne nouvelle. Tout le monde commence à avoir faim.

— Ça tombe bien. Shen dit qu'il nous faut un feu. À mon avis, il a raison.

— Tout à fait d'accord, acquiesça Alice. Joel n'aurait pas dû te rabaisser comme ça. C'est évident que faire un feu est plus important que d'entasser des valises.

Shen la remercia d'un sourire.

— Alors va lui dire que tu gères les réserves avec Shen et qu'il doit faire du feu pour réchauffer les aliments. Fais-lui comprendre que c'est ta chasse gardée, je ne tiens pas à ce que Joel ou les autres viennent ici.

— Pourquoi ?

— Il y a un kit d'urgence, d'autres trucs dont on aura besoin, et je ne veux pas qu'ils les gaspillent.

— Et il faut que le feu soit exactement à l'endroit où sont les bagages, ajouta Shen. On devra rester dans l'avion la nuit, alors le feu doit se trouver juste devant.

— D'accord, je vais faire au mieux. Joel est un pauvre con, mais Chris et les autres pensent qu'il détient toutes les réponses, lâcha-t-elle avec amertume.

— C'est ce que croyait Toby aussi, déclara Shen.

— Alors on doit travailler en équipe, se serrer les coudes, se protéger les uns les autres, et tout ça.

Tom allait rétorquer qu'il ne faisait partie d'aucune équipe mais se ravisa, car elle avait raison. En vérité, il ne pouvait probablement pas s'en sortir tout seul. Il appréciait même un peu l'idée de faire partie d'un groupe.

Tant qu'il était dans le bon groupe.

Chapitre 11

Shen entreprit de trier la nourriture pour séparer ce qui allait devoir être mangé en premier de ce qui se garderait une journéè. Tom était en train de cacher le kit d'urgence au fond d'une poubelle lorsque Barney apparut dans l'embrasure. Il avait terminé la construction de son escalier improvisé.

— Qu'est-ce que je dois faire, maintenant ?

— Regarde si tu ne peux pas bidouiller les toilettes pour qu'elles fonctionnent sans électricité, répondit Shen.

Barney eut immédiatement l'air intéressé.

— C'est un système à aspiration. Ça ne va pas être simple… OK, je m'en occupe. À moins que tu aies autre chose à me confier, Tom ?

— Non, vas-y. Et puis d'ailleurs, ce n'est pas moi qui commande.

Shen retourna dans la réserve et Barney se mit au travail. Tom fit quelques pas jusqu'à la bordure éventrée de la carlingue et découvrit un fourmillement d'activité en contre-bas. Ce n'était plus la même que tout à l'heure, et il savait qu'Alice était responsable de ce changement. Certains ados déplaçaient les bagages de façon à former deux murs en arc de cercle qui entoureraient le futur foyer. D'autres ramassaient des branches le long de la piste, redoublant de vigilance après ce qui était arrivé à Toby.

Joel supervisait le tout. Lorsqu'il vit Tom, il lui fit signe et s'avança vers lui.

— Tom, mon pote, je peux te dire un mot ?

Tom le regarda, attendant la suite.

— Je te rejoins de l'autre côté de l'avion ? insista Joel.

— Si tu veux.

Tom descendit par la pile de caisses et de valises mise en place par Barney.

— C'est une bonne idée, ça, dit Joel, planté au pied de l'escalier.

— De quoi tu voulais parler ?

— Trois fois rien... Eh bien, ces marches, par exemple. Barney m'a dit que c'était toi qui lui avais demandé de les faire. C'est une bonne idée, répéta Joel, que le silence de Tom mettait mal à l'aise. Seulement, à mon avis, si on veut s'en sortir, il faut qu'on reste organisés. Sinon on finirait par travailler dans des buts contraires, tu vois ce que je veux dire ? Alors, si tu as une idée, il vaudrait peut-être mieux m'en parler avant.

Tom n'avait jamais eu directement affaire à Joel avant. À présent qu'il l'avait face à lui, il avait du mal à appréhender l'étendue de sa bêtise. Une centaine de réponses différentes lui traversèrent l'esprit. Au bout du compte, il se contenta de celle-ci :

— Je ne crois pas.

— Écoute, mon pote, je ne suis pas en train de dire que c'est à moi de t'expliquer ce que tu dois faire... Simplement, on a besoin que quelqu'un prenne les commandes, et je me suis proposé. Maintenant, si quelqu'un d'autre veut prendre ma place, si toi, tu veux prendre ma place, n'hésite pas à le faire savoir.

— Je ne sais pas de quoi tu penses avoir pris les commandes, cela dit je ne veux pas en faire partie, ni comme chef ni autrement.

— Écoute, je ne veux pas de dispute, c'est juste…

— Bien.

On entendit la voix de Chloé s'élever plus loin, puis la réplique obstinée de Chris.

— On dirait qu'on a besoin de toi, nota Tom.

Joel s'en alla, visiblement insatisfait et désorienté par la tournure qu'avait prise la conversation. Il croisa Alice, qui le remercia au passage. Elle avait sans doute raison de lui laisser croire que déplacer les bagages pour faire un feu était son idée à lui. Tom était resté seul trop longtemps pour savoir comment réagir de façon appropriée face aux Joel de ce monde.

— Il a peur de toi, assura Alice une fois arrivée auprès de Tom.

— J'en doute.

— Crois-moi, tu lui fiches la trouille. Il ne te comprend pas, et ça l'effraie. Et, à mon avis, il n'est pas le seul.

— Mais pas toi ?

— Je n'ai peur de personne. Ça ne veut pas dire pour autant que je te comprends, ajouta-t-elle avec un sourire.

Puis elle monta les marches et s'engouffra dans l'avion.

Chapitre 12

En l'espace d'une heure, ils avaient bien progressé. Barney était parvenu à rendre opérationnel l'un des W.-C. Une quantité suffisante de branches mortes avait été ramassée pour démarrer un feu (après quelques faux départs) grâce à un briquet trouvé dans les bagages. Et à eux deux, Shen et Alice avaient réussi à réchauffer assez de poulet et de riz pour nourrir tout le monde.

Le groupe, réduit à dix-huit personnes, était assis sur les valises qui formaient un cercle presque complet autour du feu. Pour la première fois, le silence régnait. L'estomac plein, Chloé et Chris avaient fait la paix.

Pour Tom, la seule note discordante arriva à la fin du repas, lorsque Joel se leva.

— Je crois que nous devrions applaudir Alice et Shen. C'était fantastique.

Comme de bons petits soldats, tous applaudirent, même si la plupart d'entre eux avaient déjà remercié ou complimenté les deux cuisiniers. Si Alice avait l'air un peu embarrassée par toute cette attention, Shen était carrément mortifié.

Une fois Joel rassis, Chloé prit la parole.

— Est-ce qu'il y a quelque chose qu'on puisse faire ? Je veux dire, pour aider les secours à nous retrouver ? Ils doivent être en train de nous chercher, hein ?

— Bien sûr qu'ils nous cherchent, répondit Joel. Qui sait, peut-être que quelqu'un verra la fumée de notre feu.

Chris hocha la tête, lui qui avait pourtant vu toute l'étendue de la jungle dans laquelle ils étaient perdus. Mila, l'amie de Chloé, buvait les paroles de Joel, tout comme Nick et Oscar, qui de toute façon étaient ses amis. Quant à Sandeep, il paraissait rassuré par son aplomb.

Mais il y avait aussi les autres. George, qui faisait partie de l'équipe de football (d'ailleurs, Tom ne comprenait pas pourquoi il avait voyagé à l'arrière de l'avion plutôt qu'avec ses coéquipiers), cacha un sourire après la déclaration de Joel : ses grands airs ne l'impressionnaient pas. Kate et Emma échangèrent un regard télépathique dont elles avaient le secret, tout aussi sceptiques.

Pourquoi est-ce que cela comptait tant pour Tom de constater qu'ils ne s'alignaient pas tous derrière Joel ? Peut-être parce qu'il sentait que ce n'était pas lui qui les sortirait de là. Il n'était toujours pas convaincu qu'ils aient besoin d'un chef, mais s'il fallait choisir, il voterait pour Alice ou Shen.

— Et un pistolet lance-fusée de détresse ? Il doit bien y en avoir un.

Tom revint à la conversation. Il n'avait pas identifié qui venait de parler. Peut-être Nick.

— Ils sont généralement stockés à l'avant, pour des raisons évidentes, répondit Barney. Mais même si on en avait un, l'utiliser ici serait du gaspillage.

— Pourquoi ça ? rétorqua Nick avec hargne.

— Chris est monté au sommet de la colline, répondit Barney sans se démonter. Il pourra te le dire. Il n'y a absolument rien d'autre que de la jungle dans toutes les directions, aussi loin que porte le regard. En plus, on est restés là toute la matinée, et on n'a vu aucun signe d'un autre avion.

— Il a raison, intervint Joel. Si on trouve le pistolet lance-fusée, on le gardera pour le moment où les secours seront proches.

Et voilà. Joel croyait encore qu'en attendant suffisamment longtemps, les secours finiraient par arriver.

Chris observa sa barquette vide, puis le feu, et une idée soudaine lui illumina le visage.

— Il n'y avait pas de l'alcool dans la réserve ?

Nick se pencha vers lui, tout sourire.

— Quelle idée géniale !

Joel fut pris de court. Alice, elle, n'hésita pas.

— Il y en a, et personne n'y touche, dit-elle avec autorité. On le garde pour soigner les plaies et, si nécessaire, comme anesthésiant.

Ses paroles jetèrent un froid dans l'assistance. La mort soudaine de Toby planait toujours dans les esprits : il était trop facile d'imaginer à quelles sortes d'urgences médicales Alice faisait allusion.

— Encore une chose, continua-t-elle. Ça va être compliqué pour Shen et moi de faire durer les provisions et l'eau, alors personne d'autre ne doit mettre les pieds dans la réserve.

Alice en imposait tellement lorsqu'elle s'exprimait que personne ne protesta. Ils se tournèrent toutefois vers Joel, qui opina.

— Alice a raison. Nous devons tous faire notre part. On ne survivra jamais si chacun fait ce qu'il veut.

69

Il lança un regard appuyé à Tom, qui le soutint, et parut soulagé lorsque Shen s'invita dans la conversation.

— Alors est-ce qu'on devrait ramasser plus de bois ?

Le feu brûlait bien pour le moment, mais ils n'avaient plus rien pour l'entretenir.

— Je pense que ça peut attendre un peu, répondit cependant Joel. Terminons plutôt de fouiller les bagages. Tous les sacs à dos doivent contenir une torche et une bombe anti-insectes, et il pourrait y avoir des choses utiles dans les affaires des autres passagers. Récupérons le maximum avant la tombée de la nuit.

Immédiatement, tout le monde se mit au travail. Encore une fois, Tom ne put s'empêcher de remarquer que certains étaient plus rapides à s'exécuter que d'autres. Alice, Shen et Barney se dirigèrent vers l'escalier à l'arrière de l'avion, et après une minute à rester assis au milieu de la fouille organisée, Tom se leva pour les suivre.

Chapitre 13

Tandis qu'il montait les marches, Tom entendit Alice et Shen discuter des problèmes d'intendance. Il prit la direction opposée et trouva Barney en train de s'échiner sur les toilettes.

Tom le regarda faire, puis remarqua des caisses derrière les sièges du fond. Une idée lui vint à l'esprit, si simple, qu'elle lui tira un sourire.

— Barney, tu peux venir une minute ?

Le garçon sortit des toilettes, les sourcils levés.

— Oui ?

— Regarde. Des canots de sauvetage.

— Ben oui, tous les avions en ont. Les toboggans d'évacuation en sont aussi. Cela dit, ça ne sert pas à grand-chose dans la jungle.

— À moins qu'il y ait un fleuve pas loin.

Le regard de Barney s'éclaira.

— Mais oui ! Bien sûr ! Même si on ne peut pas faire tout le chemin comme ça, ce sera plus sûr et plus facile que de randonner dans la jungle. Je veux dire, il y a des risques, mais...

Il s'interrompit en entendant quelqu'un monter les marches. Tous deux se retournèrent. C'était Naomi. Grande, incroyablement belle, elle jouait au tennis en semi-pro. La proviseure Freeman ne manquait pas une occasion de la mettre en avant, assurant qu'un jour Naomi Kang deviendrait championne à Wimbledon. Et pourtant, malgré tous ses dons, elle ne semblait pas avoir beaucoup d'amis, elle non plus.

— Il faut que je fasse pipi, finit-elle par dire face à leurs regards interrogateurs.

— Je vous en prie, très chère, répondit Barney en désignant d'un simple geste du bras les toilettes qui fonctionnaient. Il n'y a pas de chasse d'eau, mais la gravité sera votre alliée.

Tom ne put s'empêcher de rire. Après un sourire hésitant, Naomi disparut dans la cabine.

Puis George apparut.

— Je peux te dire un mot ? demanda-t-il à Tom.

Jamais autant de gens n'avaient souhaité lui parler. Barney en profita pour s'esquiver et se remettre au boulot. George l'observa, perplexe, comme s'il ne l'avait jamais vu avant. Puis, une fois qu'il fut seul avec Tom, il se lança.

— J'ai entendu Alice et Lara discuter. Si vous partez d'ici, j'aimerais venir, si ça ne te pose pas de problème. Joel fait ce qu'il peut, j'imagine, mais rester ici, ce n'est pas une option viable.

Tom commençait à se demander qui ne viendrait pas avec lui.

— Si tu veux. On part après-demain, s'il n'y a aucun signe des secours d'ici là.

— Super. Je sais qu'on ne se connaît pas, mais j'apprécie, vraiment. (George fit mine de s'en aller, puis se retourna.) J'ai quitté l'équipe de foot il y a un mois. Ça n'a pas plu aux joueurs. C'est pour ça que je n'étais pas avec eux.

— D'accord. Mais je ne sais pas trop pourquoi tu me dis ça.

George sourit et répondit avec une pointe d'humour avant de s'éloigner :

— Je crois que j'avais juste besoin de le dire à quelqu'un.

C'est uniquement parce que j'ai quitté l'équipe que je suis encore vivant.

La porte des toilettes s'ouvrit sur Naomi.

— Je viens aussi. Si je peux. Je voudrais venir avec vous.

— OK.

Elle parut déstabilisée d'obtenir si facilement l'accord de Tom.

— Merci. Je… enfin, je suppose que je suis un peu une pièce rapportée ici.

— Moi aussi, mais ne t'inquiète pas, je ne te laisserai pas tomber.

— Merci.

Au bord des larmes, elle s'efforça de sourire. Il ne la connaissait pas du tout, mais à cet instant, il vit à quel point elle était vulnérable sous son apparence d'athlète sûre d'elle. Et il eut pitié d'elle.

Il eut pitié de tous ceux qui voulaient venir avec lui. Ils comptaient sur lui, ce qui montrait à quel point ils étaient désespérés. Car Tom n'avait jamais aidé qui que ce soit de toute sa vie.

Chapitre 14

Au bout d'une heure de travail, le groupe commença à fatiguer. La chaleur de l'après-midi devenait insoutenable, les insectes défiaient les bombes qu'ils utilisaient tous. Très vite, la plupart des ados s'étaient allongés contre leur sac à dos pour dormir autour du feu.

Tom avait fini par céder lui aussi et s'était assis dans l'un des fauteuils de la cabine. Tandis que ses pensées s'estompaient, il espéra brièvement faire son fameux rêve, mais rien ne se passa. Et c'était peut-être mieux comme ça.

Lorsqu'il se réveilla et vit le dossier du siège devant lui, il lui fallut un petit moment pour se rappeler où il était. Et se souvenir que cet avion n'irait nulle part.

Il entendit la voix d'Alice. Il s'approcha du bord déchiqueté et regarda en contrebas. Elle venait d'ajouter des branches au feu quasiment moribond. Les autres émergeaient à grand-peine et Joel, qui de toute évidence avait été réveillé par Alice, tentait de reprendre le contrôle.

— Allez tous chercher du bois pour le feu. Mort, c'est mieux, mais prenez tout ce que vous trouverez. Et souvenez-vous de faire attention aux serpents. Je ne veux plus d'accidents. Dépêchez-vous ! Il nous reste une heure à peine avant la tombée de la nuit.

Les ados, léthargiques, se secouèrent et s'éparpillèrent parmi les arbres environnants. Tom regarda sa montre, puis le ciel. D'après lui, la nuit serait là dans moins d'une heure, et elle tomberait vite.

Il se dirigea vers la sortie et s'arrêta pour laisser passer Alice, qui montait, visiblement furieuse.

— On aurait dû ramasser du bois au lieu de trier des bagages… Mais quel con !

Shen apparut à la porte de la réserve.

— Ah, salut, Tom. Barney m'a parlé des canots. C'est une excellente idée. J'aurais dû y penser.

La colère d'Alice retomba.

— Quels canots ?

— Viens m'aider, je vais t'expliquer tout ça, lui dit Shen.

De son côté, Tom partit vers la forêt pour ramasser du bois. C'était la première fois qu'il retournait sous la canopée depuis qu'il était redescendu de la crête, et il fut frappé par la paix étrange et inquiétante qui y régnait.

Il entendait les voix des autres qui se déplaçaient avec fracas entre les arbres, ainsi que le bourdonnement d'un millier de créatures différentes, des branches et de la terre elle-même. Pourtant, il s'en dégageait une impression de quiétude et d'ordre.

Ça lui rappelait ce qu'il ressentait dans son rêve, cette connexion au monde et à tout ce qui le composait. C'était la même chose ici, avec la jungle qui respirait autour de lui, à travers lui. Comme si sa place avait toujours été là, comme si une partie de lui s'était toujours trouvée ici, à attendre que le reste de sa personne vienne la chercher.

75

Il suivit un sentier naturel jusqu'à un arbre mort, qui lui barrait la route. Le colosse avait dû tomber depuis un bout de temps, car certaines branches s'en détachaient facilement. Après avoir scruté le sol et la végétation à la recherche de serpents ou d'araignées, il en arracha quelques-unes et les rassembla en un joli tas. C'était un exercice gratifiant, mis à part les craquements des branches qu'il brisait, trop étrangers, trop destructeurs, par rapport aux sons de la nature qui l'entourait.

Lorsqu'il estima en avoir réuni assez, il s'arrêta et tendit l'oreille. Les autres voix étaient distantes à présent, comme s'il avait marché si loin qu'il s'était retrouvé dans une autre jungle et les avait tous abandonnés. Tout à coup, il se rendit compte à quel point il était seul et loin de tous.

Et la peur l'envahit. Il sentait une présence. Quelqu'un, ou quelque chose, l'observait, et il s'était trop éloigné pour être encore en sécurité. Exactement le genre de négligence qu'il reprochait aux autres.

Malgré l'atmosphère chaude et humide, un frisson lui glaça l'échine. Ses poings se serrèrent, les muscles de ses jambes se bandèrent. Car son instinct lui soufflait de partir en courant, même s'il ne voyait pas de raison concrète de le faire. Toutefois, ses pieds restaient cloués au sol.

D'un mouvement lent, il se tourna vers la droite et tressaillit légèrement lorsqu'il entrevit la silhouette au-dessus de lui, sur l'arbre effondré. Il perçut le danger avant même de l'identifier, avant même de voir les yeux dorés braqués sur lui, emplis d'une menace intense.

Une partie de son cerveau finit par le reconnaître (un jaguar) tandis que les larmes lui montaient aux yeux et que son estomac se nouait. Il fut submergé par un écœurant sentiment d'acceptation. Et voilà. Ça n'arrivait pas qu'aux autres. Sa chance avait tourné.

Il voulait toujours s'enfuir à toutes jambes mais en était incapable, et cette même partie de son cerveau lui intima qu'il valait mieux ne pas tourner le dos au fauve, que son seul espoir était de lui faire face.

Il fit un demi-pas en arrière, pour être en position d'attraper une branche dans le tas. Mais cet infime mouvement fit réagir le félin, qui contracta ses muscles, prêt à bondir. De toute façon, Tom ne voyait pas à quoi pourrait bien lui servir une branche. L'animal était trop gros, trop puissant. Il comprit alors que sa seule option était de charger le jaguar en hurlant, dans l'espoir de le faire détaler. Sauf qu'il n'arrivait pas à s'y résoudre. Et si ça ne fonctionnait pas ? La mort viendrait plus vite encore.

Et lui, il voulait vivre. C'était peut-être la première fois qu'il en prenait aussi nettement conscience.

Une seule chance. Il n'aurait qu'une seule chance, et la sueur glacée dans son dos lui disait que ce n'en était pas vraiment une.

Il songea à son téléphone, objet brillant et bruyant. Il glissa la main dans sa poche et pressa le bouton pour l'allumer. Une seconde s'écoula, trop longue, et il entendit le grondement du jaguar au-dessus de lui. Tout risquait de basculer en un éclair.

Pas un instant, il ne lâcha le félin du regard. Les larmes brouillaient toujours sa vision, mais il avait peur de cligner des yeux, peur de rompre le contact visuel entre eux.

Enfin, son téléphone vibra contre sa paume et son cœur fit une embardée sous la poussée de l'adrénaline. Il sortit l'appareil de sa poche, redoutant de le laisser tomber. Il ne contrôlait plus ses mains.

L'écran s'éclaira, incroyablement lumineux au plus profond de la jungle. La mélodie familière transperça le silence et Tom eut un regain d'espoir. À cause de la lumière ou du bruit, le jaguar avait réagi. Un mouvement infime, d'incertitude, voire de peur.

Sans hésiter, Tom jeta le téléphone de toutes ses forces sur la tête de l'animal. Celui-ci bondit, Tom recula malgré lui. Dieu merci, le félin avait sauté dans la direction opposée, avec une telle grâce et une telle rapidité que cela ne fit que conforter Tom dans l'idée qu'il n'aurait pas eu la moindre chance. Le jaguar était parti, filant dans les sous-bois. Le téléphone, qui avait manqué sa cible, tomba quelque part de l'autre côté du tronc.

Pendant une seconde, Tom resta figé. Le cœur battant, il s'accorda le temps d'assimiler ce qui venait de se passer. Il l'avait échappé belle. Puis il vit le tas de bois et il reprit ses esprits. Il se baissa, souleva les branches et courut, courut plus vite qu'il ne l'avait jamais fait, en apesanteur, les poumons en feu, les muscles électrifiés par toute cette énergie accumulée. Il trébucha à deux reprises en regardant derrière lui, car il refusait de croire que la menace avait disparu, qu'elle ne le poursuivait pas. Il réussit chaque fois à ne pas tomber et redoubla d'efforts.

Il continua de courir, même une fois qu'il eut l'avion en vue. Dans le campement, Joel et Alice étaient en train de se disputer, même s'ils le faisaient à voix basse. En l'apercevant, Joel parut soulagé d'avoir un prétexte pour changer de sujet.

— Félicitations, Tom. Pose ça avec le reste du bois.

Tom regarda une dernière fois derrière lui et lâcha son chargement.

— Houlà, qu'est-ce…

— Rappelle tout le monde ! (Tom fut choqué par le son de sa voix, rauque et tremblante. Les mots lui brûlaient la gorge.) Rappelle tout le monde.

— Mon pote, tu dérailles, dit Joel.

— Je viens juste de voir un jaguar, un gros.

Il se souvenait à quel point il lui avait paru énorme, d'autant plus qu'il se tenait au-dessus de lui. Si proche. Et l'intensité dangereuse de son regard...

— C'est pas vrai... ! s'écria Alice. Ça va ?

Il la regarda, commença à hocher la tête. Mais Joel avait des doutes.

— Tom, tu es sûr ? Tu sais, dans la jungle...

Tom l'empoigna par le tee-shirt.

— Je lui ai balancé mon téléphone dessus ! Alors rappelle tout le monde !

— D'accord, je vais le faire, je vais le faire !

Tom le relâcha et recula d'un pas. Joel haussa un sourcil, comme pour marquer sa désapprobation face à un tel manque de sang-froid, puis jeta un coup d'œil au ciel.

— Je vais les rappeler, mais on va leur laisser quelques minutes. Ils sont probablement en train de rentrer, de toute façon.

Alice le considéra, ébahie.

— Tu as entendu ce que Tom vient de dire ? Rappelle-les.

— Ou je les rappelle moi-même, ajouta Tom, dont la colère montait par vagues.

— Au risque de semer la panique ? Rien de tel pour provoquer un autre accident.

Exaspérée, Alice s'éloigna vers les marches de l'avion qu'elle gravit avec presque autant de grâce que le jaguar.

— Écoute, reprit Joel, les autres sont tous en groupes, alors ça ira pour eux. Je ne veux pas qu'ils s'affolent, probablement pour rien.

— Je sais ce que j'ai vu.

— Je ne mets pas ta parole en doute. Ce que je veux dire, c'est que la jungle, ça peut être très déroutant par moments.

Tom eut envie de le frapper, mais il n'allait pas s'abaisser à ça, surtout après ce qui venait de se passer.

Il se pencha, ramassa son bois, plantant là Joel. Quelques personnes étaient déjà rentrées, dont George, qui, à l'aide d'une longue branche, remuait le feu.

— Ça va ? s'inquiéta-t-il en voyant Tom.

— Oui, c'est juste que... non, rien.

George n'eut pas l'air convaincu, mais son attention se tourna vers les branches que transportait Tom.

— Elles ont l'air bien sèches, elles pourraient me servir.

— Tiens.

Tom déposa sa brassée près du feu, et non sur le tas de bois. Il remarqua que ses mains tremblaient encore.

Tout en aidant George, il se calma peu à peu. Il continuait cependant à tourner la tête vers les arbres, guettant le retour des autres, essayant de se souvenir combien étaient encore en forêt.

— Comment il s'appelle, celui qui a réparé les toilettes ? finit par demander George.

— Barney.

— Barney, c'est ça. Il a l'air cool.

Tom pensa à Barney, puis à Shen. Peut-être à cause de la frousse qu'il venait d'avoir, il ressentit un étrange attachement pour eux. Cela lui faisait du bien aussi de voir que George, à qui il n'avait jamais adressé la parole avant aujourd'hui, lui parlait comme s'ils étaient amis. Pour une fois, il appréciait de savoir qu'il n'était pas seul, qu'il pouvait compter sur d'autres.

— À vrai dire, je ne le connais pas plus que toi, mais c'est quelqu'un de bien.

— Oui.

George venait apparemment de se rendre compte qu'il y avait peut-être des personnes dignes d'intérêt au-delà du cercle étroit de ses anciens coéquipiers. Alors qu'il s'apprêtait à ajouter quelque chose, il se ravisa à l'approche de Joel. Soudain, un faible cri retentit dans la forêt à leur droite. Tous trois tournèrent la tête, et quelques secondes plus tard, ils entendirent des rires.

Joel regarda Tom.

— Ils s'amusent.

Tom ne répondit pas. Les deux sons venaient plus ou moins de la même direction, mais le cri lui avait semblé plus éloigné, et les rires plus proches. Comme pour prouver qu'il avait raison, Chloé, Mila et Chris sortirent de l'ombre en riant, ne portant qu'une poignée de branches à eux trois.

— Je vais leur parler, dit Joel avant de s'avancer à leur rencontre.

Tom se demanda s'il était arrivé à la même conclusion que lui à propos de la localisation du cri, parce qu'il paraissait au bord de la panique. Il s'adressa à Chris, qui se tourna ensuite vers les arbres et hurla à tout le monde de rentrer, d'une voix puissante qui réduisit brièvement au silence le chœur de la jungle.

Chapitre 15

Assis près du feu, Tom regardait les ados revenir avec leurs provisions de bois. Lorsque la nuit tomba et que les derniers retardataires émergèrent des ombres, il essaya de les compter dans sa tête pour s'assurer qu'ils étaient tous là. Cela lui rappela Mme Graham, morte, probablement toujours coincée sur son siège dans l'épave calcinée de l'autre côté de la colline.

Il fut de nouveau distrait lorsque Alice, Shen et Barney sortirent de l'avion et que les préparatifs du repas furent lancés sur fond de conversations animées, de mauvaises blagues et de pseudo-conseils aux cuisiniers.

Le volume baissa à peine lorsqu'ils furent tous en train de manger. Il y avait une excitation étrange dans le groupe, comme si tout cela correspondait en tout point au voyage qu'ils avaient rêvé de faire. Toutefois, en regardant autour de lui, Tom nota des différences. Ceux qui voulaient partir avec lui étaient plus calmes, plus sombres, George et Alice, en particulier, mais aussi Lara et...

Il se pétrifia. Plein de colère, il passa en revue les visages à demi éclairés par la lueur du feu. Il s'en voulait de n'avoir rien remarqué, mais plus encore il en voulait à Joel.

— Où est Naomi ?

— Naomi ? répéta Joel d'une voix pleine d'assurance (même si, clairement, il ne savait pas qui était Naomi). Est-ce que quelqu'un l'a vue ?

— On l'a vue, n'est-ce pas, Chris ? répondit Chloé. Elle était dans le même coin que nous.

— Oui, mais elle est allée plus loin. Peut-être qu'elle s'est perdue.

Tout le monde se mit alors à parler.

— Bien, coupa Joel. Il va falloir organiser des recherches.

— Non, dit Tom. J'y vais.

Il se leva dans le silence soudain, tous les regards braqués sur lui.

Joel se leva à son tour.

— Tom, mon pote, ce n'est pas ta faute, déclara-t-il sur un ton paternaliste à vomir.

Cette fois encore, Tom eut envie de le frapper.

— Non, c'est la tienne, mais j'y vais quand même.

— De quoi il parle ? demanda Nick.

Avant que Joel puisse répondre, George bondit sur ses pieds.

— Je viens avec toi.

Une voix féminine s'éleva de l'autre côté du feu.

— Moi aussi. (C'était Kate, qui proposait à nouveau son aide sans laisser à Joel la possibilité de refuser.) Elle aimerait peut-être qu'il y ait une fille dans le groupe qui la cherche, et on jouait au tennis ensemble il y a des années.

— D'accord, fit Tom.

Tous les trois empoignèrent des torches et choisirent une branche dans le tas de bois. Pendant ce temps, Joel déblatérait des instructions, comme si c'était lui qui les envoyait.

83

Tom ne l'écoutait pas, et sûrement que les deux autres non plus. Le politicien en herbe ne s'arrêta que lorsque George désigna les arbres avec sa torche.

— Le cri venait de cette direction.

Ils s'élancèrent dans un concert de voix :

— Quel cri ? Qui a entendu un cri ?

— Pourquoi tu ne leur dis pas, Joel ? Parle-leur du cri.

Tom reconnut la voix d'Alice. Il prit la tête du petit groupe et George ferma la marche.

Ils avancèrent prudemment sur le chemin à peine tracé, qui semblait encore plus envahi par la végétation maintenant que la nuit était tombée.

— De quoi est-ce qu'elle parlait, Alice ? demanda Kate.

— Je me suis retrouvé nez à nez avec un jaguar quand je ramassais du bois, expliqua Tom en gardant les yeux braqués droit devant lui. Je lui ai balancé mon téléphone et il s'est enfui, mais j'ai dit à Joel de rappeler tout le monde.

— Et il ne l'a pas fait ?

— Pas tout de suite. Et à ce moment, on a entendu un cri.

George jura tout bas, de colère et de rage.

— C'est pas possible, se récria Kate, horrifiée. Pourquoi est-ce que tout le monde écoute ce type ?

— Parce qu'il est le seul à parler, répondit George. C'est Tom qui devrait être le chef.

Celui-ci, quoique flatté, ne put s'empêcher de s'en vouloir. Il aurait pu rappeler tout le monde lui-même, pourtant il ne l'avait pas fait. Il avait laissé ça à Joel, et pour autant qu'il le sache, quelque chose était arrivé à Naomi à cause de ça.

— Je ne pense pas qu'on ait besoin d'un chef, dit-il. Mais si les autres sont contents qu'il commande, ça ne me pose pas de problème.

— Oui, je suppose que je peux le suppporter encore une journée, déclara George.

Kate avait toujours été vive d'esprit en classe, et l'obscurité de la jungle n'y changeait rien : elle rebondit immédiatement sur le commentaire de George.

— Pourquoi ? Que va-t-il se passer après-demain ?

George ne répondit pas, craignant d'en avoir trop dit.

— Certains d'entre nous s'en iront, dit Tom.

Il avait tout juste fini sa phrase qu'elle asséna :

— Je viens. Emma aussi. On en avait déjà parlé avant, toutes les deux, mais on préférerait venir avec vous.

— D'accord.

Elle avait l'air bien décidée à partir. Et puis Kate s'était portée volontaire pour aller explorer l'épave et s'était immédiatement proposée pour partir à la recherche de Naomi. Elle était donc sûrement une bonne recrue pour le groupe.

— Je pense qu'on pourrait partir tôt le matin.

— Super, c'est quoi, le plan ?

— Ne t'emballe pas. Il y a un cours d'eau pas loin et deux canots de sauvetage dans l'avion. Dès qu'on pourra, on les mettra à l'eau et on suivra le courant.

— Ça ressemble à un plan pour moi. C'est mieux que de rester ici à attendre des secours qui ne viendront jamais.

— Peut-être.

Il était sur le point de lui demander de garder tout cela pour elle (même si la moitié des survivants faisait désormais partie de son groupe secret), quand sa torche révéla quelque chose devant lui. Les mots s'évanouirent aussitôt dans sa bouche. Il s'arrêta net.

Kate lui rentra dans le dos, le bousculant vers l'avant.

— Pardon.

— C'est ma faute.

— Qu'est-ce qu'il y a ?

Il se décala sur le côté et braqua son faisceau lumineux sur une basket blanche abandonnée par terre.

Chapitre 16

Kate se précipita et s'accroupit pour la ramasser. Elle leva les yeux vers Tom et George, le visage pris dans la lumière de leurs torches comme un animal dans les phares d'une voiture.

— C'est la sienne. Naomi ? appela-t-elle.

Le mur de bruit autour d'eux sembla frémir brièvement, comme si toutes les créatures absorbaient ce nouveau son pour s'y ajuster. Puis le paysage sonore revint à la normale et personne ne répondit.

Tom repéra quelques bouts de bois éparpillés sur le chemin, devant Kate. C'était donc là que l'attaque avait eu lieu. En voyant la maigre pile, il supposa que Naomi avait voulu en ramasser plus, quitte à s'enfoncer encore dans la jungle, sans se rendre compte du danger.

Il repensa à cet instant où elle et lui avaient admis se sentir à part. C'était vrai, et cela avait coûté la vie à Naomi. Il se souvint lui avoir dit qu'il ne la laisserait pas tomber, et il avait maintenant l'impression d'être un menteur.

George pointa sa torche sur la droite, où une partie de la végétation semblait avoir été écrasée récemment.

— Elle a dû être traînée par là.

Kate s'approcha pour étudier les broussailles, avant de lever la main vers une large feuille. Elle la frotta.

— Il est un peu séché, mais c'est du sang.

Quelque chose dans sa façon de se tenir indiquait à Tom qu'elle était à l'aise dans ce genre d'environnement. C'était ce qu'avait affirmé Emma lorsque Kate s'était proposée pour aller voir l'épave de l'avion.

— Tu y connais quelque chose à tout ça, Kate ?

— Un peu, grâce à mon père.

— Mais il n'est pas avocat, ton père ?

S'il le savait, c'était uniquement parce que son cabinet s'occupait de son dossier depuis la mort de ses parents. Étrange de s'apercevoir qu'il avait ce genre de petites connexions avec des gens à qui il ne se croyait aucunement lié.

— Si, mais il a grandi dans la forêt. On passe l'essentiel de nos étés dans une cabane que mon grand-père a construite dans le Maine, et on part en vacances dans des endroits semblables à celui-ci. Sans être une grande spécialiste, c'est un environnement qui ne m'est pas étranger.

— Tu es plus experte que nous, en tout cas, dit George.

— Je n'ai pas vraiment l'impression de l'être, là, tout de suite.

— Tom, tu crois que le jaguar que tu as vu…, commença George.

— Ou un autre, mais ça semble probable. Il se peut qu'il soit parti dans cette direction quand je lui ai fait peur.

Malgré sa familiarité avec le monde sauvage, ou peut-être à cause d'elle, Kate frissonna.

— C'est horrible.

— J'ai lu un truc sur les jaguars la semaine dernière, dit George. Ils attaquent par-derrière et tuent d'une seule morsure dans la nuque. Au moins, elle n'aura pas eu le temps de comprendre ce qui lui arrivait.

Kate lui répondit d'une voix chargée de colère et d'émotion :

— Il est là, quelque part, à la découper en morceaux, à la dévorer. C'est abominable ! Comment peut-on discuter tranquillement alors que Naomi est morte ?

— On n'a pas le choix, Kate. Rester calme ou péter les plombs, ce n'est pas un choix.

— Je sais, je sais. C'est juste…

Le silence retomba, la jungle se referma autour d'eux.

Tom repensa à Naomi lorsqu'elle lui avait demandé si elle pouvait les accompagner. Elle avait paru fragile, apeurée. Et si, de manière inconsciente, elle avait pressenti que sa fin était proche ?

Peut-être qu'ils savaient tous, au plus profond d'eux-mêmes, quand et comment leur mort surviendrait. Il eut envie de regarder dans les yeux de chacun d'entre eux pour voir s'il pouvait le déceler. De regarder dans ses propres yeux pour voir si la réponse s'y trouvait.

Le jaguar l'avait peut-être vu et compris, comme seul un animal sauvage pouvait le comprendre : il n'était pas sa proie. Leur rencontre dans la jungle avait pu être prédestinée, mais elle ne devait pas se solder par sa mort.

Ou peut-être qu'il avait été effrayé, tout simplement, ce qui avait permis à Tom de réagir et de jeter son téléphone.

Kate le regardait.

— À quoi tu penses, Tom ?

— Au fait qu'il ne m'a pas attaqué tout de suite, alors qu'il aurait pu. Peut-être que c'est vrai, cette histoire de destin, que ce n'était pas mon heure.

En disant cela, il s'aperçut que c'était le genre de discussion philosophique qu'ils avaient en classe.

— Non, Tom, s'écria Kate, parce que ça voudrait dire que c'était l'heure de Naomi. Et moi, je sais qu'elle n'était pas censée mourir comme ça. Elle est morte pour la même raison que Toby. Parce que Joel est un abruti.

Sa voix tremblait, la colère n'était pas loin. Pourtant, cela fit sourire Tom. Au lycée, il s'était souvent demandé à quoi ces débats pouvaient bien servir dans la vie de tous les jours. Et voilà qu'il était là, au beau milieu de la jungle, à discuter de la mort de l'une de ses camarades, à débattre précisément de ce genre de questions existentielles.

— Tom a raison, dit George. J'ai beaucoup réfléchi à tout ça, à ma décision de quitter l'équipe de football.

— Ah ! s'exclama Kate. C'est pour ça que tu n'étais pas assis avec eux.

— Exactement. L'entraîneur ne cessait pas de me répéter que c'était le pire moment, que je pouvais faire encore un petit effort. Je n'arrivais pas à lui expliquer, pas de façon raisonnée, mais je ressentais tellement fort que je devais partir tout de suite... Alors voilà, peut-être que je n'étais pas censé mourir dans cet avion. Cela dit, Kate a raison aussi. C'est quand même la faute de Joel.

— Vous ne pouvez quand même pas tout lui mettre sur le dos, protesta Tom. J'aurais pu agir, or je ne l'ai pas fait. Et s'il avait rappelé tout le monde tout de suite, rien ne dit que Naomi n'aurait pas été attaquée. Si elle avait eu des amis proches, elle ne serait pas partie chercher du bois seule.

Kate baissa la tête. Tom se souvint qu'elle avait dit qu'elles jouaient au tennis ensemble il y a quelques années. Peut-être qu'elles avaient été amies, puis s'étaient perdues de vue.

— Ce n'est la faute de personne, reprit Tom. Je ne dis pas que je crois au destin. Je ne sais pas si j'y crois. Mais regardez tous ces hasards, un pas à gauche ou à droite décide si on vit ou si on meurt. George arrête le football, Chris embête Olivia, un autre survit au crash mais meurt d'une morsure de serpent… C'est tellement aléatoire, voilà pourquoi ça ne rime à rien de rejeter la faute sur Joel ou sur quiconque.

Kate poussa un long soupir et chassa un insecte qui voletait autour d'elle.

— D'accord, peut-être que tu as raison. Il n'empêche que nos décisions comptent, et c'est pour ça que c'est important de savoir qui les prend.

— C'est vrai, Tom, et ça devrait être toi.

— Vous êtes dingues. Vous ne me connaissez même pas.

— Moi si, répliqua Kate.

Avant qu'il ne puisse la contredire, George ajouta :

— Et moi, j'en sais assez.

Soudain, la voix de Chris transperça l'air derrière eux.

— Tom !

— Tu vois, même ce crétin pense que tu es le chef, dit Kate, amusée.

— Ils peuvent bien passer leurs journées à se choisir des chefs. Quand on partira, on partira en tant que groupe, c'est aussi simple que ça.

— Bien dit, chef, répliqua George avec un rire.

Le trio rebroussa chemin

Tom était conscient du noir profond de la jungle dans son dos. Un jaguar avait suffisamment chassé pour la nuit, mais il n'était pas la seule créature en quête de nourriture. Le paysage nocturne tout entier exsudait le danger. Cette jungle autour de lui… Il n'y avait pas de raison plus forte pour ne pas vouloir échanger sa place avec Joel. Car quelles que soient leurs décisions, Naomi ne serait peut-être pas la dernière à mourir ici.

Chapitre 17

Chris les appela une nouvelle fois, mais aucun d'eux n'avait envie de lui répondre. À leur sortie des bois, ils le trouvèrent debout à l'extérieur du cercle. Sa silhouette découpée par la lueur du feu derrière lui le faisait paraître plus imposant encore que d'habitude.

Lorsque les torches de George et de Kate illuminèrent son visage, il semblait inquiet.

— Vous ne l'avez pas trouvée ? demanda-t-il immédiatement.

— On a trouvé une de ses chaussures, répondit Kate. Et du sang.

— On a vu où elle avait été emmenée, ajouta George.

Chris était sous le choc. Peut-être se sentait-il responsable, car il avait été le dernier à la voir. Au même moment, une clameur s'éleva autour du feu, aiguë, pressante et pleine de colère : c'était ceux qui voulaient croire qu'il était encore possible de faire quelque chose, qu'elle ne pouvait pas être perdue, cette fille dont ils n'avaient même pas remarqué l'absence. Tom pensait que Joel allait ramener l'ordre, comme chaque fois, mais il discutait avec Nick et Chloé, leurs voix noyées dans la cacophonie ambiante.

Kate s'assit près d'Emma et, après avoir prononcé quelques phrases, elle essuya ses larmes, le bras d'Emma sur ses épaules.

Tom fit un signe de tête à Alice et s'installa près d'elle.

— Ça a été un peu tendu après votre départ, fit-elle avec un sourire. Je voulais que Joel dise la vérité.

— Et il l'a fait ?

— Oui, reconnut-elle à contrecœur. Je dois admettre qu'il a fait son mea culpa. Au fait, Jess et Freddie veulent venir, j'espère que ça ne te dérange pas.

Il ne les connaissait pas. Tout ce qu'il savait d'eux, c'était qu'ils formaient un couple inséparable depuis un an. Ils étaient un peu bizarres physiquement – des traits irréguliers –, mais quand ils étaient ensemble, ça ne se voyait plus. De l'autre côté du feu, ils contemplaient leurs doigts entremêlés, comme s'ils communiquaient par ce simple contact. Il leur enviait un peu leur discrète intimité, leur plénitude en tant que couple.

— Ça ne me dérange pas. Et ce n'est pas moi qui décide de toute façon.

— Tu as davantage réfléchi à propos de notre départ ? demanda-t-elle, le sourire de nouveau sur ses lèvres.

— Je l'envisage pour après-demain, à l'aube.

— OK. J'espérais que tu allais dire ça. Trois jours, ça risque d'être trop long.

Joel s'éclaircit la gorge et les murmures se turent. Cette fois, il ne se leva pas pour haranguer ses troupes et son expression était sombre.

— D'abord, j'aimerais que vous m'excusiez. Nous avions besoin de nous organiser, et j'ai endossé le rôle de chef. Je tâchais seulement d'agir au mieux pour tous, mais il est évident que certains d'entre vous pensent que je n'ai pas été suffisamment attentif, et que par ma faute nous avons perdu deux membres du groupe. Je suis prêt à en assumer l'entière responsabilité si c'est ce que vous ressentez.

« Je sais aussi, continua-t-il en ignorant deux ou trois molles protestations, que quelques-uns parmi vous pensent qu'on n'a pas besoin de chef. Bien que je ne sois pas d'accord, je suis prêt à reconnaître que je ne suis peut-être pas le plus compétent pour cette tâche. Alors si quelqu'un d'autre souhaite se proposer...

Le brouhaha s'intensifia, Chloé étant la plus virulente pour défendre Joel.

Tom n'avait aucune confiance en lui. Il considérait ses excuses et son offre de démission comme un moyen de s'attirer la sympathie et le soutien de tous, tout en désamorçant les éventuelles critiques. Une partie de sa tirade avait été spécifiquement dirigée contre lui. Tom devinait que tout le monde le savait et guettait sa réaction.

Joel leva les mains, comme un grand orateur politique, puis enchaîna.

— D'accord, mais mon offre tient toujours, et si quelqu'un trouve quelque chose à redire à mes décisions, qu'il n'hésite pas à m'en parler. Mieux vaut en discuter plutôt que d'avoir d'autres accidents. Je ferai mon possible, mais j'ai besoin de la collaboration de chacun de vous.

D'autres encouragements fusèrent, et il s'en délecta.

— Très bien. Est-ce que quelqu'un a une remarque, une question, quoi que ce soit ?

Le silence retomba, et Tom fut à nouveau conscient qu'une partie du groupe le regardait, ou du moins tournait les yeux vers lui à plusieurs reprises. Tous attendaient quelque chose. C'est pourquoi le silence s'intensifia lorsqu'il prit la parole.

— J'ai une question. Deux, en fait.

L'assistance tout entière le dévisageait, à présent, mais ils allaient être déçus. Car Tom avait compris comment fonctionnait Joel, comment il fallait le flatter pour qu'il fasse ce qui devait être fait. Il l'avait appris en observant Alice.

— Je me demandais où on allait dormir cette nuit et comment on allait s'assurer que le feu ne s'éteigne pas.

— Je suis content que tu poses la question, Tom, parce que j'y ai réfléchi. Certes, ce ne sera pas très confortable, mais à mon avis nous devrions dormir dans les fauteuils de l'avion.

L'annonce fut bien accueillie ; il faut dire que tous étaient désormais parfaitement conscients de la présence d'animaux sauvages dans les environs.

— Je dormirai par terre dans la réserve, déclara Shen.

— Moi aussi, dit Barney.

Tom comprit qu'ils voulaient empêcher quiconque d'aller fouiner dans leurs précieux stocks.

— Super, fit Joel. Ça libère deux sièges pour qu'on puisse être un peu plus à l'aise. On va aussi avoir besoin de volontaires pour surveiller le feu et l'alimenter. Peut-être des groupes de deux ou trois.

— Je prends le premier tour de garde, lança Alice. Je suis une couche-tard. Tom ?

Il opina, puis George se proposa à son tour.

— Parfait. Vous prenez les premières heures. Après, vous réveillerez Chris, Chloé et Nick. Et ensuite, moi, Mila et Sandeep, dit-il en se levant. La journée a été rude mais on s'en est sortis, et j'ai un bon pressentiment pour demain.

— On va être secourus demain, je le sens, approuva Chris.

Tom sourit, sachant pertinemment que neuf regards étaient rivés sur lui : ceux des personnes qui avaient demandé à faire partie du groupe qui s'enfuirait. Et qui étaient convaincus que le temps où Chris prédisait l'avenir était révolu.

Chapitre 18

Les préparatifs pour la nuit commencèrent sur-le-champ et devinrent presque aussitôt chaotiques. Quelqu'un mentionna une moustiquaire. Oscar se souvint d'en avoir vu en triant les bagages, sans penser que ça pourrait être utile, et par conséquent ne se rappelait plus où elles étaient.

Une recherche à la torche s'ensuivit, ponctuée de cris divers à mesure que certains tombaient sur des créatures mortelles telles que des scarabées, des papillons de nuit ou même une chauve-souris. Les moustiquaires finirent par être retrouvées et un groupe entreprit de les tendre devant le fuselage déchiré.

Après plusieurs tentatives ratées, tous se mirent à rire jaune.

— Demandez à Shen et à Barney de s'en occuper, suggéra Alice.

— C'est qui, Barney ? rétorqua Nick.

— C'est le petit, là, le geek, dit Chris, qui ajouta, redoutant une éventuelle protestation d'Alice : Il est cool.

On appela Shen et Barney, qu'Alice alla remplacer dans la réserve, et en dix minutes, les deux garçons étaient parvenus à installer trois moustiquaires sur l'avant éventré du fuselage.

Ensuite, tout le monde s'installa, et bientôt, il ne resta plus autour du feu que les trois personnes chargées du premier tour de garde et Joel.

— Merci pour ce que vous faites, les gars.

Tom et Alice ne répondirent pas.

— Pas de souci, marmonna George.

— N'hésitez pas à me réveiller au moindre problème.

— Je suis sûre que ça ira, répliqua Alice.

Joel hocha la tête, et Tom eut presque pitié de lui. À l'évidence, il ne savait pas sur quel pied danser avec eux.

— Bon, eh bien, bonne nuit.

Joel s'en alla vers l'avion, où les différents faisceaux lumineux trahissaient encore de l'activité. Quelques secondes plus tard, Shen émergea de l'obscurité et prit place avec le groupe de veilleurs.

— Barney couvre la porte arrière avec les deux autres moustiquaires. Il vous suffira de les écarter pour passer.

— Shen, s'écria Alice, s'il y a une apocalypse zombie un jour, je vous veux, Barney et toi, dans mon équipe.

— Je n'ai aucune idée de ce que ça veut dire, mais moi aussi, renchérit Tom.

— Ben, tu sais, une apocalypse zombie ?

— Oui, Alice, je comprends les mots, mais…

George éclata de rire, peut-être à cause de la réaction de Tom, ou peut-être parce que leur conversation prenait une tournure un peu absurde.

En haut, ils entendirent Chloé pester.

— Contente de savoir que certains s'amusent !

Ce qui les fit rire de plus belle. Shen leur souhaita bonne nuit, et ils restèrent tous les trois assis en silence. Pendant un moment, on n'entendit que le craquement du feu et les bruits incessants de la jungle, ainsi que des sons plus distincts de créatures qui se déplaçaient dans les branchages et les sous-bois alentour.

Après un bruissement particulièrement fort suivi d'un grognement, Alice chuchota :

— C'était quoi, ça ?

George pointa sa torche en direction des arbres, mais la lumière ne faisait paraître l'obscurité que plus opaque.

— Une espèce de cochon peut-être. Comment ça s'appelle déjà ? Des pécaris ?

— Oui, je crois que j'ai lu un truc comme ça.

Ils avaient tous été encouragés à faire des recherches avant de partir pour le Costa Rica, et la plupart d'entre eux l'avaient fait. Même s'ils n'étaient pas exactement à l'endroit qu'ils étaient censés visiter, Tom supposait que la faune sauvage était plus ou moins la même, et tout aussi dangereuse. Les quelques connaissances qu'il avait provenaient de documentaires qu'il avait vus à la télé.

George et Alice évoquaient à voix basse les personnes mortes dans le crash. Ils discutaient comme s'ils se connaissaient, ce qui étonna Tom. Puis il se souvint qu'Alice était brièvement sortie avec Ethan, qui faisait lui aussi partie de l'équipe de football : c'était sans doute comme ça qu'elle avait fait la connaissance de George.

Au bout d'une vingtaine de minutes, Alice se tourna vers Tom.

— Désolé, on parle de gens que tu ne connais pas.

— Ça ne me dérange pas.

George leva les yeux vers la cabine, perdue dans le noir à présent. Un léger ronflement était tout juste audible par-dessus le bruit ambiant.

— J'ai trouvé que tu t'en étais super bien sorti tout à l'heure, Tom, dit-il. C'est clair que Joel cherchait à te provoquer.

Alice hocha la tête :

— C'est un peu crétin, franchement, rétorqua Tom. Dieu merci, il n'y a plus qu'une journée à devoir supporter ça.

— Quand est-ce que tu vas lui dire ?

— Qu'on s'en va ? Demain, dans la soirée, j'imagine. Il faudra que tout soit prêt pour qu'on puisse partir à la première heure le lendemain matin.

Alice alla chercher une branche qu'elle déposa sur le feu.

— Je me demande comment il va prendre ça.

Plus de la moitié des survivants faisaient maintenant partie du groupe. Tom avait accepté tout le monde, prétextant qu'il n'avait pas son mot à dire. À présent, il se rendait compte qu'il n'y avait qu'une seule manière de résoudre l'inévitable désaccord qui surviendrait le lendemain.

— Écoutez, s'ils veulent tous venir, rien ne les en empêche, de la même façon que rien ne nous empêche de partir non plus. Ils peuvent en débattre toute la journée, nous, on fiche le camp. L'alternative est simple : venez avec nous ou restez là à attendre les secours.

Alice parut soulagée. Il eut envie de lui répéter que la décision ne lui appartenait pas, qu'il ne commandait pas le groupe.

— J'espère qu'ils choisiront de venir, dit-elle. Je ne pourrais pas regarder les parents de Chris en face si... (Elle repoussa ses cheveux blonds des deux mains, comme il l'avait vue faire de si nombreuses fois. Elle avait dû oublier qu'elle avait maintenant les cheveux courts.) En tout cas, je ne pourrai sûrement pas attendre passivement les secours.

Je n'arrête pas de penser à mes parents et à mon petit frère. Ça doit être dur, ce qu'ils vivent.

— Moi aussi…, répondit George. Hé, mais attends ! Je ne sais pas pourquoi ça ne m'a jamais traversé l'esprit avant… Tu es la sœur de Harry Dysart ! Il joue au base-ball avec mon frère.

Elle sourit à la mention du prénom de son frère. Devant cette marque d'affection, Tom se sentit comme vide.

— Je sais. Dylan est venu quelques fois chez nous. Il est sympa.

— À petites doses ! Mais oui, il est cool. (George baissa les yeux vers le feu quelques instants, puis se tourna vers Tom.) Et toi, tu as des frères et sœurs ?

Tom vit l'embarras d'Alice.

— Non, je suis fils unique, dit-il, et mes parents sont morts quand j'avais neuf ans.

— Oh, désolé.

— Il n'y a pas de mal. C'est plus facile pour moi. Au moins, je sais que personne ne s'inquiète à mon sujet. Enfin, si, j'ai une tutrice, Julia, se sentit-il obligé d'ajouter. Elle est partie faire une retraite de yoga en Italie, dans un endroit où toute forme de technologie est proscrite. Elle ignore probablement tout du crash.

— Je l'ai vue à plusieurs reprises à une réunion parents-profs, dit Alice. C'est horrible de dire ça, mais j'ai toujours été un peu jalouse. Elle paraissait si décontractée. Et là tu me dis qu'elle fait une retraite de yoga… Non mais, qui fait ça ?

— Julia, répondit-il en riant. Oui, elle est plutôt relax… À vrai dire, c'est plus une amie qui a ma garde qu'un parent. Ça me va, maintenant, mais quand j'étais plus petit, j'aurais voulu… Bref, la jalousie est à double-sens, j'imagine.

Il se rendit compte qu'en quelques secondes il en avait plus dit sur lui-même qu'au cours de toute sa vie. Il se sentit vulnérable, au bord du précipice, le cœur tambourinant.

— Bien sûr. Je ne peux que l'imaginer, dit Alice.

Tom se détendit un peu, comme s'il avait évité un danger invisible. C'était probablement comme ça que les gens se parlaient. Ce n'était pas un problème d'évoquer le fait qu'il aurait préféré avoir des parents plutôt qu'une colocataire, qu'ils lui manquaient, même s'il ne se souvenait pas réellement de ce qu'avait été la vie avec eux.

George observait la scène, cloué sur place.

— Tu crois que c'est pour cette raison que tu es comme ça ?

— Tu veux dire pas sympa, asocial et un peu perché ?

George lâcha un rire, entre surprise et embarras, comme s'il n'en revenait pas d'avoir posé cette question.

— Honnêtement, je n'en sais rien, répondit Tom. Julia me répète sans cesse que ma mère et mon père étaient cool, sympas et drôles, alors peut-être que j'étais comme ça aussi. Je ne me rappelle pas vraiment comment j'étais avant l'accident.

Pendant un moment, personne ne parla, puis Alice lui adressa un sourire chaleureux.

— La façon dont tu te comportes en cours de littérature, ça, c'est le vrai toi. Ça m'épate que tu puisses te lancer dans des débats aussi passionnés en classe et que tu ne me calcules pas une fois à l'extérieur. Sérieux, je crois qu'aujourd'hui c'est la première fois que tu m'as adressé la parole, en dehors des cours. J'étais même un peu nerveuse en grimpant la colline. J'avais peur que tu refuses de me parler.

Cela stupéfia Tom, car il n'avait décelé aucune trace de ce malaise lorsqu'elle l'avait rejoint au sommet. Mais il était surtout abasourdi que les gens puissent le croire aussi hostile.

— Alors, oui, j'aime à penser que le Tom du cours de littérature est le Tom véritable, conclut Alice.

D'une certaine manière, Tom se sentit touché. Il espérait qu'elle avait raison, qu'une partie de l'enfant insouciant qu'il avait été était encore là, quelque part, et que les livres, contrairement aux gens, jusque-là, faisaient remonter cette facette de sa personnalité à la surface.

— En parlant de jalousie…, commença George, hésitant. Je vous ai toujours enviés d'avoir des cours de littérature. Je sais pas, vous avez l'air d'avoir des discussions incroyables autour des bouquins, comme ces intellectuels parisiens dans les cafés de Saint-Germain-des-Prés.

Alice et Tom éclatèrent de rire. Seule une personne qui n'avait jamais mis les pieds dans un cours de littérature pouvait trouver ça cool.

Chapitre 19

Finalement, leur discussion se poursuivit tout au long de la nuit, entrecoupée de moments de silence. Ils étaient à l'aise les uns avec les autres, s'occupaient du feu, écoutaient la jungle. Tom ne parlait pas autant qu'Alice et George, mais quand même plus qu'à son habitude.

Et lorsque Alice lui demanda l'heure pour la première fois, ils s'aperçurent que cela faisait cinq heures qu'ils étaient là et qu'ils n'étaient toujours pas fatigués. Alors ils décidèrent de ne réveiller personne et de monter la garde jusqu'à l'aube.

De temps en temps, il y avait du mouvement dans la cabine au-dessus d'eux. Quelqu'un se levait, parfois en allumant sa torche, pour aller aux toilettes. Tout à coup, quelqu'un marmonna une litanie effrayée qui sonnait comme un appel à l'aide.

— C'est Lara, dit Alice. Elle a des cauchemars même quand son avion ne se crashe pas.

Tom était stupéfait qu'elle puisse reconnaître Lara à partir de cris si faibles et confus. Il ressentit une sorte d'émerveillement face à ce monde qui lui était tout à fait étranger : un monde où on va dormir les uns chez les autres, où on connaît les espoirs et les peurs de chacun, ses habitudes alimentaires, de sommeil, et tout un tas d'autres choses... Bref, l'amitié. Il n'était pas certain de vouloir y appartenir, mais ça ne l'empêchait pas d'être intrigué.

Bientôt, ils remarquèrent la première nuance de bleu dans le ciel. Un peu plus loin sur la pente, ils aperçurent un gros pécari traverser le sillon creusé par l'avion. L'animal fouina autour des débris, regarda les humains avec indifférence, puis disparut de nouveau dans le sous-bois.

— Vous croyez que cette bestiole a le goût du bacon ? demanda George.

Alice lui donna par jeu un coup de poing dans le bras, puis ils se turent à nouveau. Très vite, la lumière pâle se transforma et prit les teintes de la journée à venir.

— Vingt-quatre heures, dit Alice.

George opina. Il fallut un petit moment à Tom pour comprendre qu'elle parlait du temps qu'ils avaient passé là. En effet, vingt-quatre heures s'étaient écoulées depuis que leur avion s'était crashé dans cette jungle. Mais pour Tom, c'était surtout le temps qu'il restait avant leur départ.

Ils entendirent du bruit du côté de l'avion et virent Shen et Barney en sortir avec deux plateaux chargés de boîtes en carton.

— Vous êtes restés là toute la nuit ? s'étonna Barney.

— On n'était pas fatigués, répondit Alice en s'étirant.

— Alors vous devriez manger et aller vous coucher, suggéra Shen. Le plus gros des aliments ne se conservera pas un jour de plus.

— Et le reste ? questionna Tom. Les trucs secs ou emballés dans du plastique ?

— En faisant gaffe, on devrait pouvoir les faire durer encore deux jours, pas beaucoup plus. Quand est-ce que tu penses partir ?

— Demain matin.

— Bien. Après, il faudrait commencer à trouver de quoi se nourrir.

George sourit, songeant probablement au pécari.

— Et l'eau ? demanda Tom.

— Pareil, deux jours si on utilise tous les jus de fruits et les sodas. Ensuite, on pourra boire l'eau du fleuve.

— On pourra quoi ? s'écria Alice, horrifiée.

— On la filtrera avec la moustiquaire, on la fera bouillir si on peut, ou on utilisera les cachets du kit d'urgence pour la purifier. J'espère qu'on n'en aura pas besoin, mais il faut être prêts.

— Shen est réaliste, dit Tom à Alice. Même si on emprunte le fleuve, ça pourrait nous prendre des jours pour sortir de là.

— À moins qu'il n'y ait une station balnéaire de luxe de l'autre côté de ces collines, déclara Barney tout en disposant les boîtes par terre près du feu. Si ça se trouve, il y a une chaise longue à ton nom qui t'attend, Alice.

— Et s'il n'y en a pas, il t'en fabriquera une, ajouta Shen. Pas vrai, Barney ?

Ils continuèrent de préparer le petit déjeuner en riant et en bavardant. Leurs camarades dans la cabine commencèrent à bouger et d'après les bribes de conversations qui leur parvenaient, aucun n'avait l'air heureux de se réveiller dans la jungle, de se sentir crasseux et dans l'impossibilité de prendre une douche.

Cela amusait Tom de voir à quelle vitesse tout le monde pouvait se remettre à se plaindre. Ils avaient miraculeusement réchappé à l'une des pires peurs universelles, un crash aérien, et ils oubliaient déjà à quel point ils avaient de la chance d'être en vie.

Joel fut le premier à sortir de l'avion, le teint étonnamment frais. Il fronça les sourcils lorsqu'il les vit tous les cinq en bas. Il semblait prêt à se lancer dans une tirade, mais Alice lui coupa l'herbe sous le pied.

— On n'était pas fatigués.

— Vous allez probablement dormir toute la journée, répondit Joel avec un sourire. Il va falloir qu'on fasse attention de ne pas vous déranger.

Malgré lui, il lança à Tom un regard qui trahit le fond de sa pensée : il était ravi de savoir qu'il ne serait pas dans ses pattes. Tom ne comprenait pas, il avait dit clairement qu'il ne souhaitait pas prendre sa place. C'était ridicule... Ils n'étaient qu'une bande d'ados perdus dans la jungle, pas une espèce de milice.

Shen s'assura de leur donner à manger en premier puis, lorsque tout le monde fut descendu autour du feu, Tom, Alice et George regagnèrent la cabine. Il y faisait déjà chaud, mais la moustiquaire donnait une impression de pénombre qui fit que, contre toute attente, Tom n'eut pas de mal à s'installer.

Il entendit Joel parler de ramasser plus de bois, mais pour une fois, même ses consignes et les commentaires qui s'ensuivirent furent étonnamment relaxants. *Encore une journée*, pensa-t-il tandis qu'il se laissait peu à peu emporter par le sommeil. Plus qu'une journée.

Chapitre 20

Il fut réveillé par des acclamations. Tout en se frottant les yeux, il pensa aussitôt que l'impossible s'était produit : les secours étaient arrivés. Il se leva de son fauteuil incliné, en même temps qu'Alice et George.

— C'était quoi, ces cris ? demanda Alice.

Ils s'approchèrent de la moustiquaire. Le camp était désert, à l'exception de Barney, qui empilait soigneusement des branches dans le feu. Tous les autres étaient en haut de la colline, Tom se dévissa le cou, et comprit la cause de toute cette excitation.

Ils avaient allumé un autre feu. Il ne brûlait pas bien mais produisait un épais nuage de fumée noire qui montait tout droit dans le ciel tranquille. Tom regarda sa montre. C'était le début d'après-midi.

— Eh bien, j'imagine que si quelque chose est susceptible d'attirer l'attention…, murmura Alice.

— C'est des bagages, expliqua Shen qui venait d'arriver dans la cabine. Toutes les choses dont on n'aura pas besoin d'après eux, valises, vêtements, des trucs comme ça.

— Mais pourquoi ?

— Les gens commençaient à râler, à dire qu'on devrait faire quelque chose pour alerter les secours, alors Joel a eu cette idée. Et je suppose que ça peut marcher...

— Mais ?

— Mais ils ont travaillé en pleine chaleur pendant plusieurs heures, pour tout remonter au sommet, ce qui veut dire qu'ils ont bu plus que prévu. Avec de la chance, nous aurons assez d'eau demain soir, toutefois...

— Tu l'as dit à Joel ? demanda Alice.

— Oui. Apparemment, on n'aura pas besoin d'eau si les secours arrivent.

George jura. Alice saisit son sac à dos et se dirigea vers les toilettes. Shen regardait toujours Tom, comme s'il attendait ses directives.

Joel, devinait Tom, était persuadé que le ciel était rempli d'avions partis à leur recherche (c'était peut-être le cas), et il cherchait à rassurer ceux qu'il croyait diriger. Il n'empêche que c'était complètement insensé et irresponsable d'imposer au groupe une activité physique pendant la période la plus chaude de la journée, et de gaspiller l'eau par la même occasion.

— Shen, occupe-toi avec George de répartir la nourriture et les boissons : une moitié qu'on laisse ici, l'autre qu'on emporte. Passez aussi le matériel en revue, ce dont on aura besoin, ce qui sera superflu. Quand les autres seront redescendus, je leur annoncerai notre décision.

George et Shen se mirent au travail, le sourire aux lèvres, comme s'ils avaient attendu avec impatience que Tom prenne les choses en main. Celui-ci avait envie de leur dire que ce n'était pas le cas, mais il devait admettre que ce n'était pas tout à fait vrai : s'il ne se proposait pas comme chef, en revanche il prenait le contrôle de sa propre fuite et se prémunissait contre la stupidité de Joel.

Lorsque Tom quitta l'avion, la plupart des ados étaient de retour autour du feu. L'euphorie s'était estompée et Tom comprit la contrariété de Shen en voyant l'état lamentable de la troupe.

Chris avait des coups de soleil, son visage était rouge vif. Nick, le teint cadavéreux, semblait sur le point de vomir. Jess était allongée, la tête posée sur les genoux de Freddie, qui lui caressait les cheveux. Tout le monde était léthargique, et même Joel levait régulièrement le nez vers le grand feu, comme pour se rappeler à lui-même qu'il avait eu une idée de génie.

Ceux qui n'avaient pas participé à l'opération paraissaient étonnamment frais et dispos en comparaison.

— Quelques-uns d'entre nous ont pris une décision, annonça soudain Tom.

Joel se tourna vers lui, à la fois curieux et perplexe.

— Votre grand feu brûle là-haut, continua Tom, alors s'il y a un avion dans le coin, on devrait au moins avoir un survol d'ici la fin de la journée. Si ce n'est pas le cas, plusieurs parmi nous partiront à l'aube demain.

— C'est hors de question ! Nous devons rester groupés, s'écria Joel. Et il n'y a nulle part où aller.

— Il y a un fleuve, dit Shen. Et deux canots de sauvetage. On peut le suivre jusqu'à ce qu'il soit navigable, puis utiliser les canots.

— Je n'y crois pas, fit Joel avec l'air de qui vient de se faire poignarder dans le dos par ses plus loyaux soutiens. Ainsi, vous avez discuté de tout ça sans juger utile de nous en informer ?

— C'est précisément ce qu'on est en train de faire, rétorqua Tom. Nous ne défions pas ton autorité, Joel. On veut seulement sortir de la jungle. Tous ceux qui le souhaitent peuvent venir.

Joel secoua la tête, surjouant le fait d'avoir été blessé par leur traîtrise.

— Qui d'autre fait partie de ce groupe ? finit-il par demander d'un ton calme.

Alice, George, Shen et Barney levèrent la main. Joel hocha la tête, comme s'il n'était pas surpris. Puis Lara, Kate et Emma les imitèrent, et Jess, toujours allongée sur le ventre. Freddie, après une tentative ratée, reposa la main sur les cheveux de Jess.

— Je vois. J'allais suggérer de procéder à un vote, mais puisque plus de la moitié d'entre nous a l'intention de partir...

— Il n'y a rien à voter, de toute façon, répondit Tom. On s'en va. Si vous restez, on laissera la moitié de la nourriture et des boissons, et si on s'en sort, on pourra dire aux secours où vous êtes.

Chloé lâcha un rire déplaisant. La chaleur rougissait ses joues et ses cheveux étaient poisseux de sueur.

— Vous pensez sérieusement que vous pouvez traverser la jungle à pied, avec tous les serpents, les jaguars et je ne sais quoi d'autre ? Et ça, c'est avant même d'atteindre le fleuve. Vous allez tous mourir.

— Chloé a raison, dit Chris.

— Peut-être, répondit Tom.

— Peut-être ! se récria Chloé, scandalisée. C'est tout ce que tu as à dire pour défendre un plan aussi stupide ?

— Ce n'est pas un débat. Nous, on part demain matin. Viens ou reste, c'est ton choix.

111

— Ce n'est pas un choix, c'est ridicule !

Tom ne releva pas, bien décidé à ne pas se lancer dans une discussion stérile.

— Il y a un autre élément à prendre en compte, intervint Barney.

— Toi, on te sonnera quand on voudra ton avis, le coupa Chloé.

Barney se tut, blessé. Prise d'un accès de colère, Alice se leva et regarda Chloé droit dans les yeux.

— Barney a marché jusqu'à l'épave, a construit l'escalier, a fait fonctionner les toilettes, a installé la moustiquaire. Et toi, t'as fait quoi ?

Chloé voulut répondre, mais le regard noir d'Alice la réduisit au silence.

— Exactement, rien du tout, conclut Alice. Alors si Barney a quelque chose à dire, je te conseille de l'écouter.

Elle se rassit, contenant sa rage à grand-peine. Barney piqua un fard, toute velléité de prendre la parole envolée, peut-être à tout jamais.

— Alice a raison, intervint Joel. Chacun doit s'exprimer. Barney, tout le monde a chaud et est fatigué, mais je veux entendre ce que tu avais à dire. J'imagine que ça concernait les inconvénients à rester ici.

En dépit de tout, Tom eut envie de serrer la main de Joel. Il n'en fit rien pour ne pas embarrasser Barney davantage. Il se tourna vers Alice et lui sourit. Elle lui rendit son sourire, gênée elle aussi. Après l'avoir vue folle de rage, il avait l'impression de découvrir pour la première à quel point elle était belle.

Barney s'éclaircit la gorge.

— Tout ce que je voulais dire, c'est que ça pourrait être dangereux de partir. Enfin, je veux dire, c'est dangereux, il n'y a pas de doute là-dessus, toutefois je pense que nos chances de survivre ici plus de quelques jours sont assez minces. L'environnement est hostile, et outre le risque de mourir de faim, de soif, ou dévoré par un fauve, il y a aussi des maladies parasitaires et d'autres transmises par les moustiques.

— Mais ce sera pire dans la jungle, dit Chloé, effrayée à présent.

— Ici aussi, c'est la jungle, lui répondit Barney, avec plus de gentillesse qu'elle n'en méritait. Et, oui, en effet, on sera exposés à tout cela après notre départ, et notre périple ne sera pas une flânerie. Mais au moins, on ira quelque part.

— C'est vrai, reconnut Joel, qui leva les yeux vers le grand feu, dont la fumée paraissait moins visible. Je veux qu'on reste tous ensemble, continua-t-il. Alors si on n'a vu aucun avion d'ici à la fin de l'après-midi, on partira tous. Que chacun déleste son sac à dos de tout le superflu. Et, Barney, occupe-toi des vivres avec Shen.

Shen et Barney regardèrent Tom, qui se contenta de sourire. Puis ils se levèrent et retournèrent à l'avion, mais aucun des autres ne semblait pressé de trier ses affaires, ou d'esquisser le moindre mouvement.

Chapitre 21

Tom suivit Shen et Barney et remarqua qu'ils se taisaient en entendant ses pas dans l'escalier.

— Ça va, c'est Tom, dit Barney.

— Tom, l'interpella Shen une fois qu'il les eut rejoints, quand tu auras ôté de ton sac tout ce dont tu n'as pas besoin, laisse-le-nous. On y mettra le pistolet lance-fusée et les trucs comme ça. Il vaut mieux que ce soit toi qui les aies.

— Je m'en occupe tout de suite.

— Je suis content qu'ils viennent tous, souffla Barney. Les chances de rester vivant ici ne sont pas bonnes, et pires encore avec Joel aux manettes.

Tom hocha la tête, bien qu'au fond il fût partagé. Même s'il s'était étoffé, leur groupe avait formé une unité assez cohérente, au point qu'il avait caressé l'espoir qu'ils s'en tirent en un seul morceau. À présent qu'ils étaient deux fois plus nombreux, avec Joel au milieu de tout ça, sa confiance s'effritait.

— C'est toujours Joel aux manettes, fit remarquer Tom. Ça ne sert à rien d'en débattre, et du moment qu'on bouge, quelle importance ? On le laisse être le chef, mais on suit notre plan à nous.

Cela sembla satisfaire Shen et Barney, et Tom partit retirer quelques vêtements de son sac. Alice arriva et entreprit de faire de même. Elle finit par rompre le silence, sans regarder Tom.

— Tu crois que je suis allée trop loin avec Chloé ?

— Pas du tout. Tu prenais la défense de quelqu'un.

— En fait, je crois que c'était aussi par culpabilité. C'est tout juste si je remarquais Barney avant. Pour moi, il n'était que le petit geek de service.

— Les geeks sont devenus cool de nos jours.

Elle esquissa un sourire, qui s'effaça rapidement.

— Joel pense toujours que c'est lui qui commande.

— Si ça lui fait plaisir…

Elle sembla étonnée. Comment pouvait-il avoir envie de s'en remettre à Joel ?

— Comme je viens de le dire à Shen et à Barney, du moment qu'il nous emmène là où on veut aller, laissons-le commander.

— Pas bête. Bon, je vais aller me réconcilier avec Chloé.

Tom apporta son sac à moitié vide à la réserve, avant de suivre Alice à l'extérieur. Beaucoup étaient encore assis près du feu, épuisés, à trier les éléments plus ou moins essentiels de leur sac comme on le leur avait demandé, et d'autres récupéraient du bois en bordure du sillon.

Tom se joignit à eux, en prenant soin de se ménager sous la chaleur intense. Au passage, il vit Chloé et Barney discuter de façon apparemment amicale.

De prime abord, les choses ne paraissaient guère différentes de ce qu'elles étaient depuis leur arrivée. Cependant, il régnait une atmosphère d'impatience contenue. Tom n'arrivait pas à mettre le doigt dessus, mais il avait l'impression que quelque chose n'allait pas. Comme une distorsion dans l'air ou dans le bruit de fond de la jungle. Comme une respiration qu'on retient.

Il était tard dans l'après-midi lorsqu'il entendit une voix paniquée.

— Freddie ?

Il se retourna. Freddie était à genoux sur le sol, au milieu de la pente. Jess se tenait près de lui et essayait de le relever en lui tirant le bras. C'était donc la voix de Jess qu'il avait entendue, et il se rendit compte qu'il n'avait jamais entendu parler aucun d'eux.

Freddie entreprit de se redresser, le visage rubicond. On aurait dit qu'il était enfermé dans un autre endroit. Il se remit sur pied mais trébucha immédiatement et tomba.

— Freddie ! cria Jess d'une voix plus angoissée.

Tom lâcha le bois qu'il avait ramassé et marcha dans leur direction, mais s'arrêta au bout de quelques pas, heureux que d'autres personnes plus proches les aient atteints en premier. Très vite, un petit groupe entoura le couple, on entendait des encouragements de plus en plus affolés, et la voix de Jess réduite à une série de cris de panique incohérents. Sa détresse était insupportable.

Tom récupéra son bois et se dirigea vers le feu. Le temps qu'il arrive, Freddie avait été ramené au camp. Mila passa en trombe près de Tom, pleurant en silence, et il remarqua qu'elle boitait légèrement. Il songea à toutes ces petites blessures qui pourraient les ralentir le lendemain... Elle appela Shen avant même d'atteindre l'avion.

Celui-ci apparut, suivi de Barney et ordonna d'installer Freddie à l'ombre, sous la partie basse du fuselage, là où avait été la soute. Ils le soulevèrent à nouveau. Jess restait en bordure du groupe, les larmes remplacées par le choc sur son visage figé. Tom vit l'air sidéré de Freddie et nota qu'il ne transpirait pas. Sa peau semblait cireuse, mais sèche.

Shen s'arrêta brièvement près de Tom.

— Je suis à peu près sûr que c'est un coup de chaleur. C'est grave. Il faut le baigner au maximum.

Tom comprit où il voulait en venir : leur stock d'eau avait baissé dangereusement et ils en auraient besoin de beaucoup plus le lendemain. Mais si Shen voulait la permission de Tom, la question ne se posait pas.

— Il y a un fleuve. On se débrouillera.

— D'accord. Mais que les choses soient claires : à mon avis, il va mourir.

Sans attendre la réaction de Tom, Shen s'enfonça dans la mêlée. Il demanda à Barney d'aller chercher de l'eau et aux autres de déshabiller Freddie puis de trouver quelque chose qui fasse office d'éventail.

Joel était au cœur de l'événement, répétant tantôt les instructions de Shen, tantôt ordonnant aux autres de s'écarter ou d'aider ici ou là. À un moment donné, il tourna la tête en direction de la colline.

Le feu ne produisait plus qu'une mince volute de fumée. Surprenant son regard, Tom entreprit de gravir la pente, pour la troisième, et, espérait-il, la dernière fois.

Il flottait dans l'air une odeur de substances chimiques. À mesure qu'il montait, Tom se rendit compte que ce grand brasier avait été une construction plus ambitieuse qu'elle ne le paraissait du camp. Des valises en créaient la structure, recouvertes de centaines de vêtements trouvés dans les bagages. Le plus gros avait brûlé, mais certaines fibres avaient remarquablement résisté, jetant çà et là des éclats de couleurs.

Une fois sur la crête, il donna un petit coup de pied dedans, déplaça quelques valises, afin de provoquer une nouvelle bouffée de fumée. Il constata néanmoins que les flammes ne repartiraient pas. Après être monté jusque-là sous le soleil de la fin d'après-midi, il ne sentait même plus de chaleur en émaner.

Il jeta un regard vers l'avion calciné de l'autre côté. C'était peut-être son imagination, mais la carcasse semblait déjà ne faire qu'un avec la vallée. Il ne voyait plus le bleu de la chemise de Charlie. Tous ces morts, toutes ces personnalités absorbées par la jungle et réduites à néant.

Il se détourna et laissa son regard errer sur le paysage, car c'était la vraie raison pour laquelle il était remonté. Il aperçut le fleuve, la zone où Naomi avait été tuée, les petites collines distantes et ce passage entre elles, si tentant. Ils n'avaient aucune idée de ce que tout ça leur réservait. Quelles épreuves se dissimulaient-elles sous ce terrain ondulant ? Mais au moins, il y avait un but, une direction dans laquelle aller.

Le ciel était bleu. Toutefois, à sa gauche (c'est-à-dire au nord d'après lui), des nuages s'amoncelaient à l'horizon. Même si la pluie résoudrait leur problème d'eau, il ne pouvait qu'imaginer les dégâts qu'elle provoquerait à leur campement de fortune.

La question ne se posait même pas : il fallait partir. Seule une chose pouvait retarder leur départ. Mais alors même que cette pensée lui traversait l'esprit, un hurlement plaintif transperça l'air, abominable. Et il sut que l'obstacle avait disparu, parce que la personne qui criait était Jess.

Chapitre 22

Tom redescendit, abandonnant le feu près de s'éteindre. Si cette tentative avait porté ses fruits, si la fumée avait attiré l'attention d'un avion passant dans ce vaste ciel vide, alors la situation aurait pu être différente.

Lorsqu'il rejoignit le groupe, les discussions à voix basse étaient noyées par les cris quasi hystériques de Jess.

— Non ! Je ne vous laisserai pas faire.

Il y eut une réponse calme, dont la teneur échappa à Tom, puis Jess à nouveau, d'une voix qui commençait à fatiguer.

— Il ne se fera pas dévorer. Si vous l'enterrez, c'est juste… c'est pire… Non !

Il ne voyait ni Jess ni Freddie, mais il entendit Alice dire :

— On va l'allonger dans un des conteneurs à bagages. On pourra le fermer pour que rien ne puisse l'atteindre. Il sera en sécurité ici jusqu'à ce que des secours viennent le chercher.

Il n'y eut que le silence pour toute réponse, et Tom devina que Jess avait cédé lorsque Joel prit la parole.

— Allons-y. On fera les choses bien, Jess.

Shen et Barney étaient assis sur les marches de l'avion. Le tee-shirt de Shen, trempé de sueur, lui collait au corps. À l'arrivée de Tom, il leva vers lui des yeux abattus.

— Pendant un petit moment, j'ai cru… Mais il est mort, comme ça, sans…

— Est-ce qu'il y a quelque chose que tu aurais pu faire différemment ?

Shen réfléchit, passa en revue toutes ses dernières actions. Enfin, il fit non de la tête. Il était trop dur avec lui-même et n'avait pas conscience que tous les autres, Tom inclus, n'auraient même pas su ce que Freddie avait, et encore moins comment le soigner. Barney lui tapota l'épaule.

— Tu as été vraiment super.

— Il est quand même mort.

Tom pensa à Freddie et à Jess. Ce couple aussi fusionnel que des siamois, deux êtres qu'on avait tendance à reléguer à l'arrière-plan, eux aussi. C'était étrange de se dire qu'il ne savait rien d'eux, qu'il ne les avait jamais entendus parler avant le cri de Jess sur la colline, qu'il n'entendrait jamais la voix de Freddie.

Était-ce vraiment la faute de Joel ? Même sans sa prise de commandement unilatérale, des erreurs auraient été commises, et des vies auraient probablement été perdues, et en plus grand nombre peut-être. Pourtant, pour Tom, cette situation avait quelque chose d'obscène. On leur avait offert cette chance incroyable de survivre, et en une journée, trois personnes étaient mortes d'une manière qui aurait pu être évitée.

La nuit précédente, il avait parlé de destin. Il pensait sincèrement avoir vu dans les yeux de Naomi que tout était déjà écrit. Mais rien, chez Freddie ou Jess, n'aurait pu laisser présager quoi que ce soit de tel. Tout cela n'était dû qu'à la décision insensée d'un abruti qui avait voulu allumer un grand feu.

Il observa Shen, qui s'était comporté de façon héroïque pour sauver un patient condamné, et comprit que tout dépendait d'eux. Ils pouvaient rejeter la faute sur Joel, le hasard ou le destin, ou reprendre le contrôle de leurs vies.

Pendant les deux années qui avaient suivi la mort de ses parents, l'un des fantasmes récurrents de Tom avait été d'imaginer des scénarios où il aurait été présent, où il aurait été en mesure de les sauver. Puis, au fil du temps, il avait fini par accepter que cela ne servait à rien : ses parents étaient morts, il n'était qu'un enfant à l'époque, réduit à l'impuissance.

Mais aujourd'hui, il était là. Et que faisait-il pour sauver ses compagnons d'infortune ? C'était facile de rester en retrait et de rendre les autres responsables de ces morts. Tom feignait de croire que ça n'avait rien à voir avec lui, or c'était faux.

Certes, il n'avait jamais fait partie d'un groupe et doutait qu'il resterait ami avec la plupart de ces personnes après cette aventure. Cependant, Shen et Barney ne ressentaient probablement pas plus d'affinités avec les autres que lui, et pourtant ils faisaient tout leur possible pour aider.

En voyant ce que cela signifiait pour Shen d'avoir tenté de sauver Freddie et de l'avoir perdu, Tom se sentait dépourvu de sa part d'humanité. Qu'il ait voulu ou non participer à cette sortie scolaire, il était le petit garçon qu'il avait imaginé autrefois, au bon endroit au bon moment pour sauver quelqu'un. Il était là.

— Je n'abandonnerai personne d'autre, déclara-t-il à Shen et à Barney, pas si j'ai mon mot à dire. J'en ai marre de rejeter la faute sur Joel.

— C'est l'objectif que nous devons nous fixer, rétorqua Shen, toujours abattu. Sauf que je doute qu'on y parvienne.

— Tom peut y arriver, dit Barney.

Shen le regarda et hocha la tête, comme s'il acceptait le fait sans condition.

Et Tom regretta immédiatement ses paroles, parce qu'il savait que Shen avait raison et Barney tort. Il pouvait essayer de garder tout le monde en vie – c'était sans doute la bonne approche. Mais quelqu'un d'autre allait mourir, quoi qu'il fasse pour essayer de l'empêcher. C'était la nature même de cet environnement. Les seules inconnues, c'était qui, quand et comment.

Chapitre 23

J ess resta à côté du conteneur à bagages, même après la tombée de la nuit. Certains avaient émis des doutes quant à sa sécurité, mais il avait été décidé qu'elle était suffisamment proche du feu pour être protégée des animaux sauvages.

De toute façon, cette décision n'avait que peu d'importance, puisqu'il était impossible de la faire bouger. Elle refusait également de manger et ne prit une gorgée d'eau qu'au bout de la troisième tentative. Sa semi-présence et la perte de Freddie pesèrent lourdement sur le campement tout au long de la soirée. L'humeur était sombre. La journée du lendemain était dans tous les esprits, même si personne ne posa de question ou ne demanda s'il fallait faire quelque chose. Le grand feu et l'espoir d'un sauvetage semblaient oubliés depuis longtemps.

Cette fois encore, Alice, George et Tom prirent le premier tour de garde. L'effet de nouveauté s'était estompé, même pour eux. Ils avaient pleinement conscience de la difficulté de la journée qui allait suivre et étaient déterminés à ne veiller que quelques heures avant d'aller réveiller Chris et Chloé.

Au bout d'environ une heure, Jess émergea de l'obscurité telle une apparition et passa près du feu, apparemment sans les voir. Elle aurait aussi bien pu être en pleine crise de somnambulisme.

— Tu vas te coucher, Jess ? demanda Alice.

Elle répondit d'un signe de tête et continua jusqu'à l'avion. Alice avait l'air troublée, peut-être par l'expression de Jess, par sa veillée funèbre ou par la soudaineté avec laquelle elle l'avait interrompue.

— Vous croyez qu'elle va bien ?

— Oui, répondit George après avoir inspiré à fond. Mais ça doit être dur, de perdre son petit ami comme ça. (Il se rappela soudain qu'Ethan, l'ex-petit ami d'Alice, se trouvait toujours dans l'épave de l'appareil.) Désolé, je ne voulais pas…

— Ne t'inquiète pas, ça n'a rien à voir. Je ne peux même pas imaginer ce que traverse Jess.

Tom n'écoutait que d'une oreille, concentré sur les bruits de la nuit. Et parmi eux, il y en avait un qu'il n'avait pas entendu : les pas de Jess sur l'escalier menant à l'avion.

Il saisit sa torche et se leva tranquillement, pour ne pas alarmer les deux autres.

— Je reviens dans une minute.

— Pas de souci, répondit George, qui se retourna vers Alice.

Tom était arrivé devant les marches lorsqu'il se rendit compte que quelqu'un marchait dans le sous-bois, le long du sentier où ils avaient découvert la chaussure de Naomi. Aussitôt il comprit pourquoi Jess avait mis fin à sa veillée funèbre.

Il songea à retourner avertir les deux autres, mais elle avait déjà parcouru du chemin et il ne voulait pas la perdre.

Alors il brandit sa torche, dont la lumière fut comme aspirée par le noir de la jungle, et se lança à sa poursuite.

Il se félicita de ne pas avoir hésité, car en quelques secondes, l'avion, le feu et les autres semblèrent à des kilomètres. Il suffisait d'une dizaine de pas pour que le monde soit réduit à un vague halo de lumière devant lui dansant sur les feuillages verdoyants et, un peu plus loin, aux déplacements maladroits de Jess, qui avançait à l'aveugle.

Si seulement il avait apporté une branche ou de quoi se défendre... Il était trop tard maintenant, il ne pouvait qu'espérer que la lumière si peu naturelle de sa torche suffise à le protéger du jaguar ou de tout autre danger rôdant dans les parages. Il tâcha d'oublier que cela pouvait aussi attirer certains prédateurs.

Il s'arrêta, conscient de ne plus entendre Jess. La jungle sembla se taire brièvement, avant de se remettre à bruire.

Il avança encore un peu, tendit l'oreille. Pendant un moment, il craignit d'avoir dépassé Jess, ou, pire, qu'elle ait rebroussé chemin, le laissant livré à lui-même. Il fit encore quelques pas et aperçut la basket de Naomi.

C'était là que Naomi était morte. Ce simple fait était empli de mystère. Une fille qui avait eu besoin de faire pipi, qui avait demandé anxieusement à Tom si elle pouvait se joindre à son groupe, et dont la vie s'était éteinte à cet endroit précis dans un déchaînement de violence. Cette basket blanche était le seul rappel du drame qui avait eu lieu ici, de la personne qui avait perdu la vie. Sa mort, pourtant, était toujours palpable, et Tom se sentit soudain exposé, épié.

Il resta planté là quelques secondes, puis entendit une voix très basse, si basse qu'il ne comprit pas tout de suite qu'elle venait de tout près.

— Laisse-moi tranquille.

Jess se tenait légèrement à l'écart du chemin, dans la végétation, mais presque à portée de main. Il la voyait à peine, ne voulant pas l'éblouir en levant sa torche.

Pourquoi s'était-elle arrêtée précisément à cet endroit ? se demanda-t-il, déconcerté. Sans lumière, elle n'avait pas pu voir la chaussure, n'avait pas pu savoir que c'était là qu'avait eu lieu l'attaque. Et pourtant, de manière subconsciente, elle l'avait pressenti. Peut-être en restait-il une trace, une sorte d'énergie dans l'atmosphère.

— Qu'est-ce que tu fais ici, Jess ?

— Tom ? s'étonna-t-elle.

Qui s'attendait-elle à voir ?

— Oui, c'est Tom, confirma-t-il avant d'attendre une réponse qui ne vint pas. Tu veux que le jaguar vienne te prendre, c'est ça ?

— Je ne rentrerai pas, murmura-t-elle. C'est... ce n'est pas...

Il entendait presque le tumulte qui faisait rage dans son esprit, la collision de trop de pensées brisées, l'absence de Freddie au cœur de tout cela. Lui qui avait envié leur intimité, c'était peut-être le moment que la jalousie disparaisse, vu les conséquences qu'avait cette intimité sur Jess. Or ce fut le contraire qui se produisit : elle s'intensifia quand il comprit à quel point Jess avait aimé Freddie.

Cela s'entendait dans sa voix.

— S'il te plaît, laisse-moi tranquille.

— D'accord. (Il baissa un peu plus sa torche mais ne bougea pas, réfléchissant à toute allure à une façon de la persuader, tout en gardant à l'esprit qu'ils pourraient être attaqués à tout instant.) Il va falloir attendre quelques jours.

— Quoi ?

— Quand un jaguar trouve une proie de grande taille, un humain, par exemple, il ne se nourrit plus pendant trois ou quatre jours. Et il protège son territoire de ses congénères, il se peut donc que tu doives t'armer de patience.

Il y eut une pause, puis elle dit d'un voix à peine audible :

— Tu mens.

— Non. (En réalité, il ignorait tout des habitudes de chasse des jaguars. Les poils se dressaient toujours sur sa nuque à cause de cette sensation d'être observé.) Mais je voudrais que tu rentres au camp avec moi.

— Non. C'est... Il y a...

Une fois de plus, Jess ne parvint pas à aller au bout de sa phrase. Tom songea qu'il n'était pas l'interlocuteur idéal ; il avait souvent dû entendre des mots bien intentionnés, en général de la part de gens qui n'avaient aucune idée de ce qu'il vivait. Que toutes ces paroles de réconfort ne servaient à rien, voilà tout ce qu'il savait.

— Écoute, Jess, j'ai perdu mes parents, tout petit.

— Je sais.

Ça aussi, c'était une révélation : qu'une personne comme Jess connaisse ce détail capital de sa vie.

— J'étais trop jeune pour comprendre ce qu'on me disait, mais on me le disait quand même : qu'il fallait que je sois fort, que, contre toute attente, les choses s'arrangeraient plus tard, que la blessure cicatriserait un jour. Et tu sais quoi ? Tout ça, c'étaient des grosses conneries. Ça ne va pas mieux. Tu perds un être aimé et tu ne t'en remets jamais. Ça change la personne que tu es, ta manière de vivre ta vie. Ça ne devient jamais bien, seulement différent.

Il se retrouva un instant transporté dans le passé, se remémorant un livre que sa mère lui lisait souvent, avec un lapin sur la couverture, même s'il ne se rappelait ni le titre ni l'histoire, tout comme il avait oublié l'essentiel des événements de ses années d'enfance. Il avait adoré ce livre et chérissait encore aujourd'hui des bribes de souvenirs : celui d'être enveloppé de chaleur, celui de la voix apaisante de sa mère. Il sentit les larmes lui monter aux yeux. Il ne savait pas à quand remontait la dernière fois qu'il avait pleuré, mais soudain, au beau milieu de la jungle, ses parents lui manquaient plus qu'ils ne lui avaient manqué durant des années.

— C'est ce qu'ils n'ont pas cessé de me seriner toute la journée, qu'il fallait que je sois forte, que c'est ce que Freddie aurait voulu.

— Ce que Freddie aurait voulu, c'est que vous vous sortiez tous les deux de là. Il ne voulait pas mourir, mais s'il avait eu à choisir, je suis persuadé qu'il se serait sacrifié pour que tu vives.

— Moi, j'aurais choisi de mourir à sa place.

— Je sais. C'est pour ça qu'il faut que tu viennes avec moi, Jess. Je n'ai pas de baguette magique. Voilà qui tu es désormais. Et je n'ai aucune parole de réconfort non plus... je veux seulement que tu rentres au camp.

Elle resta immobile de longues secondes, puis s'avança vers lui. Il allait reculer pour lui laisser la place sur le sentier, quand elle l'enlaça, l'étreignant de toutes ses forces. Il fallut un moment à Tom pour s'apercevoir qu'elle pleurait en silence.

Il aurait dû se sentir mieux, parce qu'il l'avait persuadée de vivre pour le moment, ou lui avait permis de s'en persuader elle-même. Or il avait le moral en berne. Peut-être parce que l'incident avait fait remonter son propre chagrin à la surface et qu'à un certain niveau de conscience il ne s'était jamais jugé digne d'en éprouver... Comment pourrait-il en avoir, lui qui, la plupart du temps, n'arrivait même pas à se souvenir de ses parents ?

Chapitre 24

Ils rebroussèrent chemin sans échanger un mot, et lorsqu'ils atteignirent l'avion, elle le suivit jusqu'au feu.

— Ah, tu es là ! s'écria Alice. On a cru que tu étais malade ou... (Elle s'interrompit lorsqu'elle aperçut Jess.) Oh, salut, Jess.

— Salut.

Tom s'assit mais Jess resta debout.

— Je me suis perdue, dit-elle. Tom m'a retrouvée. Ça vous embête si je reste un peu ici ? Je n'ai pas envie d'aller dans la cabine.

— Bien sûr que non, assura Alice.

Jess s'assit en face d'eux, sur une pile de bagages. Dans la jungle, Tom avait noté combien elle était petite. Il ne l'avait jamais remarqué avant parce que Freddie faisait exactement la même taille.

— Tu veux quelque chose à manger ou à boire ? proposa Alice.

— Non. Je vais juste m'allonger si vous n'y voyez pas d'objection.

Aussitôt, elle se mit en boule sur les bagages.

Alice et George regardaient Tom avec une expression très claire sur le visage : ils brûlaient de connaître sa version de l'histoire. Il sourit en réponse et haussa les épaules, et Alice le singea, ce qui le fit rire. Après s'être assuré que Jess s'était endormie, sans doute épuisée par le trop-plein d'émotions, il satisfit leur curiosité.

— Elle est partie dans la jungle. Je crois qu'elle voulait que le jaguar la prenne.

— Quoi ?! Comment tu as su ?

— Je ne l'ai pas entendue monter l'escalier, alors je suis parti voir où elle était. Elle faisait un tel raffut en marchant qu'elle a dû effrayer le jaguar.

— Waouh, fit George. Tu aurais dû me prévenir.

— Je n'avais pas le temps. Je ne voulais pas qu'elle s'éloigne trop. Enfin, bref, ça s'est bien terminé.

— Et tu l'as convaincue de rentrer, dit Alice. Je suis impressionnée, Tom. Tu devrais être fier. Il aurait pu lui arriver n'importe quoi. Je suis sérieuse, Tom, ajouta-t-elle en le voyant sourire.

— Je sais. Merci… C'est peut-être stupide, mais… j'ai eu comme une révélation, et j'ai décidé que si c'était en mon pouvoir, je ne laisserais personne d'autre mourir.

— Mais tu n'as laissé mourir personne, protesta George, désarçonné. Je veux dire, c'est tellement aléatoire, aussi aléatoire que mon départ de l'équipe de football.

— À propos, pourquoi tu as quitté l'équipe ? demanda Alice. Je me souviens qu'Ethan disait que personne n'avait compris.

— Oui, ils ont tous essayé de me faire changer d'avis. Et ça les rendait dingues que je ne leur donne pas d'explication.

— Peut-être parce que tu étais trop doué.

— Je l'étais, en effet, répondit George avec un rire avant de s'assombrir. Sans vouloir leur manquer de respect, j'avais d'autres rêves, tu vois. Le petit Noir sportif n'est pas toujours obligé de faire partie de l'équipe de football.

Alice posa la main sur l'épaule de George.

— Eh bien, déclara Tom, je suis content que tu aies fait ce choix.

— Merci, ça me touche. Cela étant, j'étais sérieux tout à l'heure. Les gens qui sont morts depuis le crash seraient peut-être morts de toute façon, mais si c'est la faute de quelqu'un, c'est celle de Joel.

Avant que Tom puisse répondre, un grondement sourd résonna au loin dans le ciel. Ils levèrent les yeux, croyant que c'était un avion. Puis ils comprirent tous en même temps que c'était le tonnerre. Tom repensa aux nuages qu'il avait vus s'accumuler à l'horizon et se demanda si l'orage se dirigeait vers eux.

— Peut-être, répondit-il enfin, mais ça ne change rien. Je ne laisserai personne mourir si je peux l'empêcher.

— Tu as raison, approuva Alice. C'est notre objectif : aider tout le monde à sortir de cet enfer sain et sauf, y compris nous.

Elle rit de son trait d'humour, qui pourtant mit Tom mal à l'aise. Une fois de plus, il avait fini par penser qu'il n'y avait que les autres qui étaient en danger. Pas lui, pas Alice, et pas ceux qui étaient devenus ses proches. À présent, il imaginait la possibilité qu'il lui arrive quelque chose à elle, et fut surpris de constater à quel point cette perspective le terrifiait.

Le tonnerre gronda à nouveau, peut-être un peu plus près, mais très loin. George observa le ciel toujours clair et rempli d'étoiles.

— Je n'aimerais pas être ici s'il se met à pleuvoir.

Tom acquiesça. Ils arrivaient à peine à maintenir le campement en état après deux jours d'affilée de temps sec. Il ne faudrait probablement pas plus qu'une ondée pour que ce soit le chaos total. Il avait hâte d'être déjà au matin.

Chapitre 25

Au bout de trois heures, à la fin de leur tour de garde, plutôt que de rejoindre les autres dans l'espace confiné de l'avion, ils préférèrent suivre l'exemple de Jess en se couchant sur les piles de bagages.

Entre le craquement du feu et le grondement lointain du tonnerre, Tom sombra dans un profond sommeil dont il ne se réveilla qu'à l'aube. Il vit Jess alimenter le foyer avec les derniers morceaux de bois.

George et Alice dormaient encore, la cabine au-dessus d'eux était silencieuse. C'était peut-être à cause de l'épuisement de la veille, ou du fait qu'ils s'étaient habitués au raffut de la jungle au lever du jour. Ce bruit constant faisait déjà partie de leur rythme quotidien.

— Bonjour, dit Jess lorsqu'elle remarqua qu'il était réveillé.

— Bonjour. Ça fait combien de temps qu'il fait jour ?

— Une dizaine de minutes, répondit-elle en donnant des petits coups dans le feu avec une branche. Merci. Pour la nuit dernière.

Il hocha la tête.

— Tu sais qu'on part aujourd'hui ?

Elle regarda le conteneur qui renfermait le corps de Freddie.

— Oui. Je vais peut-être aller lui dire au revoir maintenant.

— Tu veux que je t'accompagne ?

— Ça ira.

Elle s'éloigna, sa branche toujours à la main. Il songea qu'il aurait dû l'avertir de ne pas tenter d'ouvrir le conteneur. Mais il s'inquiétait pour rien. Une fois arrivée, elle s'appuya contre la paroi, la tête baissée, comme si elle priait. Jess s'en sortirait, mais il lui avait dit la vérité dans le noir de la jungle : elle ne serait plus jamais la personne qu'elle était encore deux jours auparavant.

Les passagers de la cabine se mirent à bouger. Alice se réveilla et s'assit.

— Bonjour, fit-elle. Il est tard ?

— Non, le jour vient de se lever, répondit Tom avant de remarquer qu'elle observait Jess. Elle va bien. Elle fait ses adieux à Freddie.

Apparemment, l'énormité de ce que traversait Jess laissait Alice sans voix. Elle finit par pousser un soupir.

— Il faut que j'aille aux toilettes.

Elle se leva, salua Shen et Barney qui arrivaient, puis se dirigea vers l'avion.

Par on ne sait quel miracle, Shen s'était débrouillé pour conserver suffisamment de nourriture pour que tout le monde ait un petit déjeuner. Cela améliora l'humeur générale, même si on percevait une légère anxiété derrière l'optimisme affiché. Tous savaient que leur journée aurait un but, qu'ils allaient quelque part, même si personne ne savait où exactement.

Les préparatifs de départ prirent environ une heure, sous la supervision de Joel, même si Alice dut lui rappeler à l'occasion de ne pas oublier le matériel imperméable, ou d'enfiler ses bottes plutôt qu'avoir à les porter…

Joel n'avait pas l'air de se rendre compte qu'une autre organisation se mettait en place. Shen et Barney s'activaient méthodiquement dans tout le camp, retiraient les moustiquaires, plaçaient des équipements clés dans le sac de certaines personnes, ne confiant par exemple l'alcool et la trousse de premiers secours qu'à Alice et à George, mais distribuant nourriture et boisson à chacun.

Shen prit Tom à part et désigna son sac à dos.

— Il y a deux briquets et un des couteaux dans la poche latérale. Barney a l'autre. Les deux pistolets lance-fusée et des fusées supplémentaires sont dissimulés sous tes vêtements. Barney et moi, on a une partie du matériel médical d'urgence, Alice et George l'autre partie, ainsi que l'alcool. Le reste de l'équipement est dans les canots.

Tom hocha la tête mais sentit que Shen attendait quelque chose de plus, comme une sorte d'approbation.

— Je le répète, je ne suis pas le chef. Mais je ne vous laisserai pas tomber.

— Je sais, répondit Shen avec un sourire. Sinon, j'aurais gardé un lance-fusée pour moi.

— Bon, il me faut quatre volontaires pour transporter les deux canots, cria soudain Joel. On va se relayer, mais est-ce que George, Chris, Sandeep et Nick peuvent prendre le premier tour ? Et il faut aussi établir un itinéraire. Shen, tu as dit que le fleuve était par là, n'est-ce pas ?

— En fait, c'est Tom qui l'a dit, mais oui. Je précise qu'on met le cap sur la trouée entre les collines, pas sur le fleuve. Même si cela nous rallonge.

Joel lui adressa un sourire condescendant.

— Sauf qu'on sait qu'il existe un sentier qui y mène.

Kate se tourna vers Tom, épouvantée. Joel parlait du sentier sur lequel Naomi avait été emportée par le jaguar. Ils allaient de nouveau devoir passer devant la basket abandonnée. Seul Tom savait que c'était également celui qu'avait suivi Jess la nuit dernière pour aller au-devant de la mort.

— En fait, intervint Tom, il y en a un autre, plus praticable. Hormis un arbre tombé à un endroit, il est dégagé.

Joel fit une moue pour marquer ses réticences.

— Bien. Nous emprunterons donc ce chemin, et on verra comment on avance.

Tout le monde enfila son sac à dos.

— Oh, intervint Barney, j'ai réussi à trouver des perches si quelqu'un en veut.

Il alla récupérer devant le fuselage une brassée de tubes en aluminium. Tom ne put s'empêcher d'être impressionné que Barney ait réussi à les trouver puis ait pensé à les utiliser.

— Et ça sert à quoi ? demanda Nick, sceptique.

La critique implicite ne fit ni chaud ni froid à Barney, qui se contenta de hausser les épaules.

— À rien, à vrai dire. Sauf si tu veux écarter les branches ou les toiles d'araignées de ton chemin, ce genre de trucs.

Aussitôt, tout le monde se rua vers lui pour en avoir un. Et ce fut assez drôle d'entendre Chloé lui dire qu'il était « un saint ».

Barney prit ensuite la perche qu'il réservait à son usage. Il avait trouvé du gros ruban adhésif renforcé et avait attaché un couteau au bout, créant ainsi une sorte de harpon. Debout avec cette arme en main, il ressemblait vraiment à un personnage de *Sa Majesté des Mouches*, et Tom se demanda si quelqu'un, en dehors de ceux qui suivaient le cours de littérature, savait comment se terminait le roman.

Chapitre 26

Ils se mirent en route en une longue file indienne, à l'image de ces expéditions de l'ancien temps parties à la recherche de la source d'on ne sait quel fleuve, en général montées par des Européens au teint terreux qui ignoraient tout de l'endroit où ils mettaient les pieds. Ils étaient aussi perdus et mal équipés, sans savoir de façon réaliste comment ils survivraient plus de deux jours.

Joel avait pris la tête, mais il avait fait en sorte que Shen soit juste derrière lui. Il n'était pas disposé à renoncer à son rôle de chef, cependant il avait enfin compris que ce dernier possédait tout un tas de connaissances qui pourraient être utiles dans la jungle. C'était probablement trop lui demander de trouver autant de valeur aux autres, comme Kate et Barney.

Tom fermait la marche. Devant lui, George et Chris portaient une des caisses qui contenait un des deux canots. Il se retourna pour regarder une dernière fois le camp, le fuselage déchiré de l'avion, le feu qui couvait encore malgré leurs efforts pour l'éteindre, les objets abandonnés, les conteneurs à bagages disséminés sur la pente, l'un d'eux abritant le corps de Freddie.

Il remonta jusqu'au sommet, distingua les vestiges du grand feu de la veille, la crête qui avait décidé qui mourrait et qui vivrait. Sa stupéfaction était toujours intacte : aucun d'eux n'aurait dû sortir de cet avion, et c'était la raison pour laquelle tous les survivants devaient réussir à rentrer chez eux.

Faisant volte-face, il se mit en route sous l'ombre humide de la canopée, écoutant les conversations qui allaient et venaient le long de la file. À les voir tous, on aurait pu en effet les prendre pour les membres d'une expédition scientifique. À les entendre, pour des élèves effectuant une sortie scolaire.

Ils progressaient lentement, ce qui était aussi bien, cela éviterait que certains ne s'évanouissent à cause de la chaleur. Mais peu après, la colonne s'arrêta.

Chris posa l'avant de sa caisse sur le sol, et George fit de même à l'arrière.

— Qu'est-ce qui se passe ?

— Je crois que le chemin est bloqué.

George fit un pas de côté pour regarder devant.

— C'est l'arbre, j'ai l'impression. Tom a dit qu'il y avait un arbre en travers du sentier.

Chris l'écouta à peine et partit rejoindre Chloé.

— Il est gros comment, cet arbre, Tom ? demanda George.

Tom mit sa main un peu au-dessus de sa taille.

— J'ai grimpé dessus assez facilement... (Le jaguar aussi, mais il garda ça pour lui.) Peut-être que certains auront besoin d'un coup de main, surtout avec les sacs.

George était visiblement inquiet qu'ils puissent être autant ralentis par un obstacle somme toute mineur. Tom pensait la même chose et songea à ce qui les attendait par la suite. Finiraient-ils par devenir plus efficaces ?

Au bout de quelques minutes, Chris revint vers eux, élargissant le passage par la même occasion.

— On repart, semble-t-il. Je crois que Joel voulait seulement se montrer prudent. À cause des serpents, et autres trucs du même genre.

Il saisit la poignée de la caisse et la file se remit en mouvement. Lorsqu'ils atteignirent l'arbre, Chris et George soulevèrent le canot par-dessus avec une telle facilité qu'ils eurent du mal à comprendre quel avait été le problème.

Tom escalada le tronc derrière eux et le parcourut du regard jusqu'à l'endroit où il avait repéré le jaguar, puis il scruta l'étrange lumière aquatique sous la canopée. Il se disait que s'il regardait suffisamment longtemps, il pourrait le voir réapparaître, comme dans ces livres d'images magiques.

Mais il n'y avait rien à voir, alors il continua son chemin. C'était dans la nature même de la jungle : la plupart de ses secrets leur étaient cachés. Tom et les autres étaient à la fois ici et ailleurs, et toute trace de leur présence serait bientôt effacée.

Ils progressèrent sans halte pendant plus d'une heure, d'un pas lent et régulier. La marche, aisée, était toutefois rendue pénible par la chaleur, l'humidité et le harcèlement incessant des insectes. Il ne fallut pas longtemps pour que les conversations se tarissent, remplacées par d'occasionnels chapelets de mots.

— Et si ce sentier ne mène pas au fleuve ? dit soudain Chris.

— Ces chemins sont tracés par les animaux, expliqua George, alors il y a des chances qu'ils mènent tous à des points d'eau. Et puis, on va dans la bonne direction.

— Tu crois ?

— Oui, et Shen sait ce qu'il fait.

— Sauf que c'est Joel qui commande, rétorqua Chris.

George ne répondit pas et ils continuèrent en silence jusqu'à ce que la colonne ralentisse encore une fois. La nouvelle remonta la colonne : ils allaient faire une pause dans une petite clairière. Très vite, il fut évident que celle-ci devait être grande comme un mouchoir de poche au vu de l'embouteillage qui se formait avant de pouvoir y pénétrer.

Lorsque Tom l'atteignit enfin, il se fit la remarque que ses camarades avaient l'air d'être les traînards d'une armée en déroute. Certains étaient assis sur les deux rochers qu'il y avait là, les autres sur leur sac. Chris lâcha son fardeau et s'installa dessus.

Cela faisait un moment que le sentier longeait un ruisseau. À présent, celui-ci bifurquait en direction du fleuve. Il coulait sans doute près de l'endroit où Naomi était morte, et devait prendre sa source dans les collines où leur avion s'était crashé. Ce n'était ici qu'un filet d'eau stagnante, mais à en juger par l'escarpement et l'érosion de ses berges, il devait se transformer en cours d'eau impétueux durant la saison des pluies.

Alice s'approcha de Tom.

— Shen veut qu'on vienne tous les deux avec lui pour suivre le ruisseau jusqu'au fleuve et voir comment ça se présente.

— Pas de problème.

Ils se frayèrent un chemin au milieu du labyrinthe de corps avachis. Shen expliquait quelque chose à Joel, qui faisait mine d'être intéressé, comme ces politiciens qui visitent des usines.

— Prêts ? demanda Shen lorsque Alice et Tom arrivèrent à leur hauteur.

— Vous n'êtes pas obligés de nous accompagner, s'empressa d'ajouter Joel, si vous préférez vous reposer. Shen et moi pouvons partir seuls en reconnaissance.

— Je n'en doute pas, répliqua Alice.

Tous les quatre remontèrent le lit du ruisseau, qui décrivait deux méandres. À mesure qu'ils approchaient du fleuve, l'atmosphère paraissait plus fébrile, plus vibrante de vie. Puis ils aperçurent une étroite étendue d'eau boueuse qui n'avait rien d'engageant.

Le groupe suivit le ruisseau jusqu'à l'endroit où il confluait avec le fleuve. Tous les quatre comprirent immédiatement qu'ils ne pourraient pas utiliser leurs canots.

Si la rivière était suffisamment large, seule une portion étroite paraissait assez profonde, et elle était parsemée de rochers. Un peu plus loin en aval, un arbre était tombé en travers.

Tom regarda sa montre et estima qu'il leur restait environ six à sept heures de jour. En l'absence d'obstacle majeur, ils avaient une chance d'atteindre les collines avant la tombée de la nuit, mais il était plus vraisemblable qu'ils doivent monter un camp en cours de route.

Ce fut Joel qui brisa le silence.

— J'ai toujours pensé que ton histoire de canots était insensée, dit-il à Tom.

Celui-ci se contenta de lui retourner son regard, et ce fut Shen qui répondit.

— Depuis le début, on savait que la rivière pouvait ne pas être navigable.

— Alors qu'est-ce que vous proposez maintenant ?

— De la suivre jusqu'à ce qu'elle le devienne, et d'utiliser ensuite les canots. On cherche une trouée entre les collines. Après ça, nos chances seront meilleures.

— J'avoue que je ne suis pas convaincu, d'après ce que je vois, répondit Joel en regardant l'eau stagnante devant lui.

— Il y a une chose qu'on peut affirmer en toute certitude, Joel, répliqua Shen avec bonne humeur. Les rivières ne vont jamais en se rétrécissant. Nous n'avons pas le choix. Ça nous prendra peut-être une journée pour atteindre une zone navigable, peut-être deux, mais il faut suivre le cours d'eau.

Joel opina à contrecœur.

— Ça risque d'être difficile de marcher ici, marmonna-t-il en observant les berges avec inquiétude.

— Mais, Shen, rebondit Alice, Barney ne nous avait pas dit qu'il fallait éviter la rivière au maximum ?

— Si, bien sûr. C'est le point de convergence des prédateurs, il y a plus de risques de croiser des parasites, ce genre de trucs.

— C'est ce que je pensais, dit Joel. Nous allons donc suivre la rivière aussi longtemps que possible, mais en gardant nos distances. Tu as quelque chose à ajouter, Tom ?

Tom secoua la tête et fit demi-tour. Peu lui importait la façon dont ils prenaient leurs décisions, peu lui importait que Joel se considère comme le cerveau de l'expédition, du moment qu'ils faisaient les bons choix et qu'ils continuaient d'aller dans la bonne direction.

Chapitre 27

Tout le monde put se restaurer. Les quantités étaient ridicules, mais ils étaient déjà tellement épuisés à cause de la chaleur qu'il n'y eut pas de protestations. Joel, debout au milieu du groupe, expliqua les problèmes qu'ils avaient rencontrés au niveau de la rivière et détailla leur plan.

— On devrait changer les équipes qui portent les canots, je pense, conclut-il.

Un murmure parcourut le groupe, quelques rares volontaires se proposèrent.

— Je peux encore tenir une heure sans problème, intervint George.

— Moi aussi, dit Chris.

Les deux autres acceptèrent également.

— C'est sympa, dit Joel. Bien, on se motive et on y va.

Tout le monde se leva, non sans mal. Chloé tituba et se rassit, avec un rire perplexe.

— Ça va ? lui demanda Barney.

Elle se força à sourire. Son expression rappela à Tom celle de Freddie lorsqu'il était tombé à genoux.

— Je suis allée trop vite. Mais ça va.

Barney l'observa avec inquiétude.

— Tu veux que je marche à côté de toi ?

— Ça ne te dérange pas ?

— Pas du tout. On n'a qu'à mettre une partie des boissons et des affaires de ton sac dans le mien.

Tom regarda la scène, le sourire aux lèvres. On aurait pu croire que Barney nourrissait des sentiments particuliers pour Chloé, mais Tom le connaissait déjà suffisamment bien pour savoir qu'il aurait fait la même chose pour n'importe qui. C'était un acte de bienveillance, d'autant plus méritant lorsqu'on se souvenait de la façon dont Chloé l'avait rembarré.

Lentement, le groupe emboîta le pas à Joel et à Shen. La plupart des ados avaient gardé leur position dans la file, si bien qu'au final il ne resta plus dans la clairière que Chris, George, Tom et Alice, la seule à avoir changé de place.

— Je vais rester derrière avec vous, annonça-t-elle. Ça papote trop devant.

— Tu es au bon endroit, répondit Tom. On ne papote pas ici.

En effet, ils ne parlèrent pas beaucoup, même lorsque le sentier était assez large pour marcher à deux de front. Le reste du groupe était plus silencieux également, mais progressait plus rapidement.

Ils traversèrent une zone très ombragée sous la canopée, et ce ne fut que lorsqu'ils en émergèrent que Tom put constater que la pénombre n'avait pas été seulement due aux arbres : le ciel s'était couvert d'un voile rouge orangé.

— Je ne pensais pas qu'on marchait depuis si longtemps, fit remarquer Chris.

— On ne marche pas depuis si longtemps, le corrigea George. Ce n'est pas le soleil qui se couche, c'est quelque chose dans l'atmosphère.

— Peut-être un feu de déforestation, suggéra Alice.

— Ou une éruption volcanique. Ça serait bien notre chance, ça.

— À mon avis, intervint Tom, survivre à un crash d'avion et à un volcan en activité, c'est être assez chanceux, non ?

— Assez chanceux, oui, à moins qu'on soit tous tués ensuite par un tsunami.

— Tu ne devrais pas plaisanter avec ces choses-là, rétorqua Chris. J'ai déjà rêvé que j'étais emporté par un tsunami.

— Christian…, le réprimanda Alice.

Pourtant, son sourire témoignait de l'affection qu'elle lui portait depuis leur enfance partagée. Cela renforça chez Tom son sentiment de solitude, sans qu'il puisse s'expliquer pourquoi.

Le ciel continua de s'assombrir tandis qu'ils marchaient. Une brume orange était comme suspendue au-dessus d'eux, avec par moments une très vague odeur âcre de fumée.

Alice avait probablement raison : cela devait être lié à la déforestation. Même si ça pouvait avoir lieu à des centaines de kilomètres de là, cela n'en était pas moins inquiétant. La jungle elle-même semblait se faire plus silencieuse tandis que le plafond de brume descendait s'enrouler autour de la cime des arbres.

Ils firent une deuxième pause. Les boissons circulaient dans la file, mais cette fois, pas de nourriture.

Assis sur une des caisses contenant un canot, Chris était plus en hauteur que les autres, ce qui fit que tout le monde se tourna vers lui lorsqu'il lança :

— Vous allez probablement tous me dire de la fermer, comme d'habitude, alors que j'avais raison pour l'avion... Bon, d'accord, j'avais inventé cette histoire, ajouta-t-il en riant. Mais, et si l'avion ne s'était pas écrasé ?

— Quoi ?! s'étrangla Oscar.

— Attends, attends, répondit Chris d'un ton qui suggérait qu'il était sérieux, pour une fois. Bien sûr que l'avion s'est écrasé. Ce que je veux dire, c'est... Regardez cette brume. Peut-être que ce n'est pas que nous, peut-être qu'un truc énorme est arrivé, genre une pluie de météorites, une guerre nucléaire ou je sais pas quoi, et notre avion a dû dévier de sa trajectoire et on s'est retrouvés là. Et peut-être qu'il n'y a pas que nous. C'est sans doute pour ça que personne n'est venu nous chercher : parce qu'il n'y a plus personne qui puisse le faire.

Tout le monde resta silencieux et la dernière phrase resta suspendue dans les airs. L'atmosphère du moment rendait cette théorie terriblement crédible.

Ce fut Barney qui finit par briser le silence.

— C'est possible, bien sûr, mais la façon dont l'avion s'est écrasé suggère quelque chose de bien plus simple. Je veux dire...

— Mais c'est possible, insista Chris.

— Oui. Mais extrêmement peu probable.

Il y eut des murmures.

— Vous avez entendu ? s'écria Chris. C'est une sorte de scientifique, et il pense que je tiens une piste.

Tom se leva.

— Il n'y a qu'une seule façon de le savoir : continuer d'avancer. Je vais te relayer pour porter le canot.

— Moi aussi, dit Alice.

— Tu es sûre ? lui demanda George.

146

— Si j'ai des problèmes, je te ferai signe.

Lentement, ils repartirent. Ils n'étaient pas allés bien loin lorsqu'il y eut une nouvelle halte. Lara s'était fait piquer par quelque chose durant la précédente pause, et en vingt minutes, une moitié de son visage avait enflé. Shen et Barney l'examinèrent et appliquèrent une pommade sur la piqûre. Lara affirma qu'elle allait bien, et ils reprirent la route.

Un peu plus tard, vers l'avant de la file, Nick fila vers les sous-bois et vomit violemment. Au bout de quelques minutes, il rejoignit les autres. Tom remarqua que Mila, qui boitait la veille, utilisait l'une des perches de Barney comme canne.

Le groupe entier paraissait faiblir à chaque pas, mais ils avançaient dans la bonne direction. La jungle qui bourdonnait en permanence se fit plus profonde, et leur sentier se mit à grimper de façon régulière. Ils avaient beau se faire harceler et piquer par des insectes invisibles et suffoquer de chaleur, cette montée leur semblait pleine de promesses.

Puis la file s'immobilisa de nouveau. Tom portait maintenant le canot avec Chris ; George et Alice étaient derrière lui.

— On ne va pas s'arrêter à tout bout de champ, grommela George.

— Je ne crois pas qu'on atteindra la rivière avant la tombée de la nuit, de toute façon, lui répondit Alice. Alors il vaut mieux faire des pauses si les gens sont malades ou fatigués. Pour ne pas prendre de risque.

Elle n'avait pas besoin de dire à voix haute qu'il fallait éviter une autre mort inutile, comme celle de Freddie. Mais cette fois, personne ne semblait malade. Apparemment, ils butaient contre un obstacle naturel.

Tom et Chris déposèrent leur caisse. Les autres s'écrou-lèrent sur leurs sac à dos, sans s'intéresser à ce qui se passait devant. Certains ne prenaient même plus la peine de chas-ser les moustiques qui se posaient constamment sur leur peau exposée.

Chloé avait l'air de souffrir de la chaleur, et Chris alla s'as-seoir près d'elle. George et Alice avancèrent pour découvrir ce qui se passait, suivis par Tom. À cause du ciel orangé, la luminosité demeurait très faible.

Un ravin large d'une dizaine de mètres découpait la jungle devant eux, semblable à une fissure, comme si la terre s'était déchirée. Dix à quinze mètres plus bas, le fond en était rocailleux et sec. Comment avaient-ils pu ne pas le remarquer du haut de la crête qui surplombait l'avion ?

— Tom, viens m'aider, dit Shen. Il faut trouver un endroit par lequel descendre et un autre pour remonter le long de la paroi opposée.

— Qu'est-ce qu'on a, comme alternative ?

Shen pointa le doigt derrière Joel. Un arbre abattu for-mait un pont naturel.

— Shen, mon pote, dit Joel en ignorant Tom. Le temps presse et tout le monde est trop fatigué pour faire de l'esca-lade. On va attacher notre corde ici, puis la fixer à l'arbre s'il est stable. C'est la seule option.

Tom dut s'incliner. Le groupe n'était pas en état de des-cendre au fond du ravin, encore moins d'en remonter. Pour sa part, il l'aurait franchi en utilisant l'arbre sans y réflé-chir à deux fois. Comment ces filles et ces garçons épuisés allaient-ils se débrouiller ? Il eut un mauvais pressentiment. Si l'un d'eux tombait, le mieux qu'ils pouvaient espérer, c'était que sa mort soit rapide.

Chapitre 28

Une demi-heure plus tard, le groupe était rassemblé au pied de l'arbre, dont les racines jaillissaient dans toutes les directions. À présent qu'ils se tenaient tout près, le défi paraissait plus intimidant : l'arbre était très incliné, et même si le tronc mesurait pas loin d'un mètre cinquante de diamètre, ils allaient devoir marcher sur une partie étroite.

Joel dut s'y reprendre à plusieurs fois pour se hisser dessus. Puis, comme si de rien n'était, il se tourna vers eux.

— Vous voyez la prise, là ? Utilisez-la. Ce n'est pas sorcier une fois qu'on sait comment faire.

Tom lorgna les gens autour de lui. Pour certains d'entre eux, l'épreuve semblerait sans doute insurmontable. Chloé, en particulier, avait l'air un peu dans les vapes, et il se demanda si elle n'avait pas attrapé quelque chose.

Après avoir noué une extrémité de la corde à une énorme racine, Joel avança sur le tronc. Il masquait plutôt bien son appréhension, mais Tom vit avec quelle force il serrait la corde. Impossible de ne pas remarquer non plus les petites mottes de terre et les pierres qui se détachaient de la paroi opposée à mesure que Joel s'en approchait et qui dégringolaient bruyamment.

La corde n'était pas assez longue pour aller jusqu'au bout. Joel l'attacha à l'une des branches cassées, puis sauta, provoquant un mini-glissement de terrain.

Mila, appuyée de tout son poids sur sa perche et les yeux rivés au gouffre, murmura, presque pour elle-même :

— Je n'aime pas des masses la façon dont la paroi s'effrite.

— Bien, les amis, c'est du solide, cria Joel, et croyez-moi, l'arbre est si large qu'on ne remarque même pas à quelle hauteur on est. Shen, tu passes en premier, et ensuite Nick et Sandeep avec le premier canot.

L'éventuelle précarité du pont de fortune fut oubliée dans l'agitation ambiante. Shen traversa, puis Nick et Sandeep hissèrent le canot sur le tronc et y grimpèrent ensuite. Ils agrippaient fermement la corde et avançaient à tout petits pas pour compenser la déclivité et le poids de leur charge.

Ignorant les bavardages, Tom scrutait avec inquiétude l'endroit où reposait la cime de l'arbre.

Kate et Emma traversèrent sans difficulté, de façon synchronisée. Chloé fut la suivante, avec Chris derrière elle pour la guider. Mais lorsqu'elle atteignit le bout de la corde, elle se figea. Il ne restait que deux pas à faire, Chris n'avait pas la place de la contourner. Kate sauta sur le tronc en hâte et lui prit la main.

— Je m'occupe du deuxième canot avec George, dit Alice à Tom. On traversera en dernier, à cause du poids. George n'est pas trop rassuré de voir à quel point ça s'écroule là-bas.

— D'accord. Mais je passerai après vous. Une fois que vous serez de l'autre côté, je détacherai la corde et je la rapporterai.

— On en a d'autres, fit-elle remarquer. Laisse-la donc en place pour te tenir.

Il sourit, touché que cela la préoccupe.

— Ça va aller. Elle sera toujours attachée de l'autre côté.

Soudain, un cri rententit.

Tandis qu'Oscar et Lara étaient sur l'arbre, un morceau de la paroi opposée se détacha dans une petite explosion de terre et de débris. La cime de l'arbre s'affaissa dans ce creux nouvellement formé.

Quoique déstabilisés par l'impact, Oscar et Lara parvinrent à rester sur le tronc, fermement accrochés à la corde. Lara laissa échapper un petit cri de douleur et se massa la hanche.

Tout autour de Tom, les commentaires inquiets fusèrent.

— Tout va bien, continuez d'avancer, on s'occupe de vous, cria Joel. Les autres, restez où vous êtes pour le moment. On va vérifier si c'est stable.

George haussa un sourcil.

— Je croyais qu'on le savait.

Ils regardèrent en silence Oscar effectuer ses derniers pas, puis Lara, qui boitait un peu. Tous soupirèrent de soulagement lorsqu'ils atteignirent l'autre côté sains et saufs. Mais ils étaient encore cinq à devoir passer : Barney, Jess, George et Alice avec le canot, et Tom.

Joel étudiait le sol, discutait avec Shen, qui secouait la tête et regarda plus d'une fois en direction de Barney, comme pour quérir ses conseils. Joel donna des coups de pied dans le bord du ravin et, lorsque d'autres fragments s'en détachèrent, il fit mine de pousser le tronc, histoire de montrer sa stabilité.

— Jess ?

Tom se tourna et la vit juchée sur l'arbre. Elle sourit à Barney, puis à Tom. Il trouva son sourire ambigu.

— La démonstration de Joel ne prouvera rien, déclarat-elle. Je suis la plus légère.

Sur ce, elle s'élança sur le tronc en tenant à peine la corde. Arrivée au milieu, elle s'arrêta et pivota pour les regarder. Tom sentit la peur lui tordre les boyaux. Et si elle avait décidé de se jeter dans le vide ? Non. Elle avait seulement voulu leur montrer à quel point c'était facile, et continua sa route. La terre s'effrita encore lorsqu'elle atteignit l'extrémité du tronc, mais l'arbre ne bougea pas.

Joel ne la vit approcher qu'à la dernière seconde. Surpris, il recula, puis, très vite, comme si ça avait été son idée, il s'écria :

— Super, on peut y arriver. À toi, Barney !

Barney traversa, et cette fois il n'y eut aucun éboulement. Tom aida George et Alice à mettre la caisse sur le tronc, puis grimpa avec eux et resta près de la racine où était attachée la corde.

— Dès que vous serez de l'autre côté, je détacherai la corde.

Ils se lancèrent, forcés de faire les mêmes petits pas que Nick et Sandeep avant eux, pour essayer de ralentir leur vitesse de descente. En face, on suivait chacun de leurs mouvements. Le bord semblait stable à présent. Pourtant, Tom avait l'impression que quelque chose n'allait pas.

Il percevait une sorte de mouvement dans le tronc sous ses pieds. Au début, il l'attribua aux vibrations des pas de

George et Alice, toutefois cela évoquait plus la tension d'une corde qui s'étire jusqu'au point de rupture.

George et Alice devaient le sentir aussi, car après s'être brièvement concertés, ils accélérèrent l'allure pour effectuer la deuxième moitié de la traversée.

— Tranquille, les gars ! leur cria Joel. Vous gérez.

Ils l'ignorèrent et continuèrent sur leur lancée. Tom sentit la tension s'accumuler, puis, tout à coup, il fut soulevé à l'instant où retentit un craquement formidable. L'arbre se mit à bouger et il gagna d'un bond en arrière la terre ferme, atterrissant violemment sur le dos, l'impact aggravé par le poids de son sac. Il entendit un cri. Un bruit de chute.

Toute une partie du bord du ravin s'était effondrée, et l'arbre s'abîma dans le gouffre, ses racines tournées vers le ciel, avant de s'écraser dans un nuage de poussière et de débris. George et Alice étaient entre ciel et terre, et, pendant une seconde, Tom se demanda s'ils avaient sauté ou s'ils avaient été projetés, s'ils allaient atteindre l'autre côté ou tomber dans le vide.

Puis ils atterrirent, à quelques centimètres du bord, tenant toujours la caisse entre eux. Mais le soulagement fut de courte durée. Lorsque les pieds de George touchèrent le sol, celui-ci s'écroula et il fut précipité en arrière, entraînant la caisse avec lui.

Alice hurla. Le poids combiné de George et de la caisse, dont elle agrippait toujours l'autre poignée, menaçait de la faire basculer à son tour. George battait l'air, heurtant la paroi du ravin, serrant sa poignée d'une main et cherchant des prises pour se stabiliser de l'autre.

Il y eut une nouvelle secousse, et George chuta encore d'un mètre. Alice, traînée jusqu'au bord de l'abîme, refusa cependant de rendre les armes.

— Venez m'aider ! cria-t-elle.

Deux personnes sortirent de leur torpeur et accoururent à la rescousse. Chris fut le plus rapide. Il saisit la poignée et commença à tirer. Le corps de George heurta encore la paroi, provoquant de petits éboulis, mais il tint bon. Dès qu'il fut proche du bord, Oscar se pencha pour attraper son bras. Une fois George et la caisse en sécurité, tous s'éloignèrent vite fait du bord.

Des acclamations fusèrent, et Tom se surprit à se joindre aux autres. Il riait de soulagement. George avait frôlé la mort, mais il était tiré d'affaire ! Tom baissa les yeux vers l'arbre, échoué tout en bas, et lorsqu'il les releva, la joie de l'autre côté avait laissé place au silence. Tous le regardaient, et il se félicita de ne pas distinguer nettement leur expression.

Après avoir étreint George, Alice se rapprocha du bord, au mépris du danger.

— On va t'attendre ici ! cria-t-elle à Tom. Trouve un chemin pour descendre. Ensuite, on te remontera avec une corde.

Descendre ne serait pas une promenade de santé, songea Tom. Joel avait dit vrai. Et ils n'avaient pas de temps à perdre.

— Vous ne pouvez pas attendre, répondit-il. Continuez en direction de la rivière. Il faut que vous avanciez ! Je vais me débrouiller et je vous rattraperai.

— Quelques-uns d'entre nous vont t'attendre, dit George en se massant la main.

C'était tentant, mais Tom savait que c'était une erreur. S'il s'était moqué de leur insistance à vouloir rester groupés autour de l'avion, ici, c'était vital. Il serait suffisamment difficile de traverser la jungle, sans en plus se scinder en petits groupes. Il devait donc persuader George et Alice de le laisser.

— Ne m'attendez pas, sinon je serai obligé de trouver l'endroit précis où vous êtes. Alors que tout seul, je me dirigerai droit vers la rivière. Croyez-moi, c'est la seule option.

— Tom a raison, acquiesça Joel. Il faut avancer, et s'il y a quelqu'un capable de nous rattraper, c'est bien lui. On peut faire quelque chose pour toi, mon pote ?

— Oui, arrêter de m'appeler « mon pote ». À part ça, ça ira.

Joel afficha un sourire de façade, puis se détourna.

Alors que le groupe était prêt à partir, Kate se rapprocha du bord.

— Arrête-toi à la tombée de la nuit, même si tu nous crois proches. Fais plutôt un feu et rejoins-nous le lendemain matin.

Il acquiesça, ce qui ne parut pas rassurer Kate.

Shen plaça les mains autour de sa bouche en porte-voix.

— Dirige-toi vers l'amont, même si c'est la direction opposée. Tu auras plus de chances de trouver un passage et ce sera moins dangereux.

Tom n'eut pas envie de s'interroger sur le sens de la dernière remarque.

— OK. Merci, Shen.

George lui adressa un signe de main, que Tom lui rendit. Le groupe s'enfonça parmi les arbres, et il ne resta plus qu'Alice.

— Ça va aller, la rassura-t-il avant qu'elle puisse dire quoi que ce soit.

Elle resta silencieuse quelques secondes.

— Promets-le-moi.

— Je te le promets. Allez, vas-y.

Il ne put parler davantage, en proie à l'émotion. Il avait besoin de la voir partir, mais éprouva un sentiment de perte lorsque, enfin, elle se retourna pour rattraper les autres.

Quelques secondes plus tard, ils avaient disparu dans les profondeurs de la végétation. Tom s'attarda quelques minutes. Des voix lui parvenaient encore par vagues, puis il n'y eut plus que le silence rempli des bruissements de la jungle. Il se retrouva seul. Non, c'était plus que ça. Il avait passé la moitié de sa vie en solitaire, avait toujours fui la compagnie de ses camarades de classe. Mais là, c'était différent. Pour la première fois de sa vie, il se sentit abandonné.

Quelle ironie. Une poignée de ces personnes imaginaient avoir besoin de lui, pour prendre des décisions, pour tenir tête à Joel, pour être le chef, et maintenant, c'était lui qui avait besoin d'eux. Il aurait voulu pouvoir réfléchir à un plan avec Shen et Barney, parler avec George et Alice, garder un œil sur Jess.

Il regarda le ciel orange et épais qui s'accrochait à la cime des arbres, le gouffre devant lui, la jungle derrière. Pendant un moment, il se sentit dépassé, effrayé, sans savoir par quoi, à part l'isolement dans lequel il s'était toujours complu. Mais cela ne dura qu'un instant, car il n'avait pas le temps de s'apitoyer sur son sort. Il avait fait une promesse et il avait bien l'intention de la tenir.

Chapitre 29

Il était impossible de longer le bord du ravin. Par endroits, la végétation le recouvrait au point qu'il n'y avait aucun moyen de s'assurer de la stabilité du sol. Tom n'eut donc d'autre choix que de faire demi-tour et de reprendre le chemin qu'ils avaient emprunté pour arriver ici.

Il cherchait un sentier qui bifurquerait vers la droite, mais toute la jungle semblait conspirer pour le renvoyer à son point de départ. Bien que l'endroit où l'avion s'était crashé fût à des heures de marche, Tom commençait à redouter, de manière irrationnelle, de se retrouver au milieu du campement désert, hormis le corps de Freddie dans un conteneur à bagages et les morts de l'autre côté de la crête.

Le ciel s'assombrissait. En consultant sa montre, il s'aperçut qu'il lui restait encore deux à trois heures de jour. Ce qui ne l'avancerait pas beaucoup s'il continuait à tourner en rond.

Il pensa brièvement à Kate et à Shen qui lui avaient donné des conseils, à George et à Alice qui l'avaient laissé à contrecœur, ce qui ne fit que lui rappeler à quel point il était seul à présent. Il n'était probablement pas plus en danger que lorsqu'il avait fait partie du groupe, pourtant il en avait la sensation.

Il repéra soudain quelque chose qui ressemblait vaguement à une piste et qui l'emmènerait vers le fleuve. La végétation l'avait envahie, il était difficile de voir ce qu'on avait sous les pieds. Il s'y engagea en faisant le plus de bruit possible, dans l'espoir d'effaroucher toute créature prête à le mordre s'il la dérangeait ou lui marchait dessus.

Vingt minutes plus tard, il déboucha sur un buisson dense et luxuriant d'une plante noueuse qu'il évita d'instinct. Il s'arrêta, but une gorgée d'eau à sa gourde, chassa un insecte qui avait atterri sur son cou, regarda autour de lui et contourna le buisson avant de découvrir une piste encore moins prometteuse que la première. Il pensait aller dans la bonne direction, mais empruntait apparemment des sentiers que même les grands animaux de la jungle dédaignaient.

Le vacarme qu'il faisait en avançant dans les fourrés commençait à lui taper sur les nerfs. Cela repoussait peut-être les serpents, mais le rendait également sourd à la jungle autour de lui et à toutes ses menaces potentielles. Il multipliait les haltes pour tendre l'oreille, se laissant envelopper par le murmure constant du paysage.

Lors de l'un de ces arrêts, il entendit un cri quelque part sur sa gauche et se figea. Il sentit son sang se glacer malgré la moiteur chaude de son tee-shirt qui lui collait à la peau. C'était bien un cri, mais pas humain, et son pouls reprit un rythme normal. Il essaya de ne pas réfléchir à ce que ça avait pu être, ou à quelle distance ça avait pu se trouver.

Il reprit sa route et nota un changement dans la lumière devant lui. Peut-être approchait-il d'une zone plus à découvert. Déçu, il se rendit compte bientôt qu'il s'agissait en fait d'une espèce de brume. Quelques pas plus tard, le peu d'espoir qui lui restait se mua en effroi : la brume en question était constituée d'un réseau serré de toiles d'araignées drapé entre les arbres et qui lui barrait le passage.

Il s'approcha et constata que ces toiles grouillaient de vie, se dressant telle une barrière sur une quinzaine de mètres au bord de la piste. Les araignées n'étaient pas énormes, en tout cas pas plus que certaines qu'il avait déjà vues, ce qui ne voulait pas dire pour autant qu'elles n'étaient pas venimeuses, et il y en avait des milliers. Il regarda autour de lui en quête d'un autre chemin. S'il faisait demi-tour maintenant, il ne pourrait jamais rattraper le groupe. Il fit encore quelques pas et remarqua que les araignées réagissaient à son approche, produisant de petits mouvements vifs qui se propageaient à toute la toile.

Il recula, terrorisé à l'idée que les araignées lui sautent dessus, puis sortit le couteau que Shen avait mis dans la poche latérale de son sac.

Il scruta les environs à la recherche d'une branche qu'il pourrait couper. À défaut, il se rabattit sur une liane épaisse qui enserrait un arbre et la trancha en deux endroits. Il s'entraîna à l'utiliser en fouettant les buissons, puis retourna se planter devant la toile.

Celle-ci s'anima de frémissements en réponse et Tom s'arrêta de nouveau, pris de regret. C'était une structure belle et ingénieuse, et si ça n'avait pas été un obstacle, il ne l'aurait pas abîmée. Mais il n'avait pas le choix.

Il inspira à fond puis balança la liane pour forer un trou. La toile se déchira au milieu et ouvrit un tunnel. Des dizaines de petites créatures velues s'égaillèrent dans toutes les directions mais cela ne suffisait pas. La toile ne paraissait pas moins dense, et les araignées étaient bien plus énervées maintenant face à sa violence.

Il ne pouvait pas s'arrêter ni trop réfléchir à ce qu'il faisait. Il avança, agitant sa liane comme un fléau devant lui. La soie s'y accrochait, des araignées volaient dans les airs, atterrissaient peut-être sur lui. Il accéléra l'allure et fonça la tête la première dans un morceau de toile qui resta accroché à son visage et dans ses cheveux. Il sentit quelque chose courir sur son front, sur son oreille, puis dans son cou, mais l'adrénaline le poussa à tracer sa route à travers la toile interminable.

Il avait conscience des mouvements désordonnés autour de lui, des lambeaux arachnéens qui recouvraient sa peau et ses vêtements, si collants qu'il avait l'impression d'être prisonnier et dévoré à petit feu. Les araignées, dans leurs tentatives paniquées pour échapper au massacre, semblaient sauter n'importe où, le heurtant, lui atterrissant dessus, s'accrochant à lui... mais il continua.

Il crut être arrivé au bout de ses peines, puis vit que ce n'était qu'un espace de quelques mètres avant la colonie suivante. Son cœur battait si fort qu'il aurait été incapable de s'arrêter, même s'il l'avait voulu. Il se ménagea une ouverture et s'y engouffra, pressant le pas, à présent entièrement gainé de soie collante et couvert d'araignées.

Puis il sortit avec fracas à l'extrémité du tunnel et courut encore quelques mètres avant de jeter sa liane et de se défaire de son sac à dos qu'il laissa tomber par terre. Il se mit des claques sur les bras et les jambes, le visage et les cheveux, inlassablement, comme s'il était en transe.

Enfin, il s'examina, traquant d'éventuelles survivantes. Il crut sentir quelque chose dans son dos et retira son tee-shirt, le secoua, puis se fouetta avec, par mesure de précaution. Ce ne fut que lorsqu'il fut convaincu de les avoir toutes éliminées qu'il s'occupa de son sac et en ôta les rares aventurières qui s'y accrochaient encore.

Puis Tom s'efforça de reprendre sa respiration et considéra les ravages qu'il avait faits. Malgré le sillon qu'il avait creusé à travers les colonies, le réseau vaporeux était toujours drapé entre les arbres et même au-dessus. Il ne faudrait pas longtemps pour que les toiles soient reconstruites, et il n'y aurait plus le moindre signe de son passage. Il sentit quelque chose bouger dans ses cheveux et y porta rapidement la main. L'araignée tomba sur son épaule nue puis sur le sol, et il sautilla tout en se frottant les cheveux. Et ce ne fut qu'alors qu'il pensa à inspecter ses mains et ses bras pour s'assurer qu'il n'avait pas été mordu, même si rien ne le laissait supposer.

Il prit sur lui pour se calmer et se convaincre que l'épreuve était maintenant derrière lui. Il renfila son tee-shirt et regarda la piste qui semblait un peu plus ouverte. Il pouvait le faire. Il avait traversé le pire, il n'avait plus qu'à poursuivre sa route.

Il but une nouvelle gorgée d'eau, puis vérifia son sac une dernière fois avant de le remettre sur son dos. Il partit immédiatement, toujours nerveux, et se donnant des claques à la moindre démangeaison, au moindre moustique qui se posait sur sa peau, comme s'il n'était pas entièrement convaincu de s'être débarrassé de toutes les araignées.

Les pistes devinrent un peu plus praticables, et plus nombreuses. À deux reprises, il put virer à droite, dans la direction où il souhaitait aller. Puis, une demi-heure après avoir laissé derrière lui les colonies d'araignées, il découvrit une petite clairière pentue au milieu des arbres, peut-être assez grande pour y établir un camp.

Il regarda l'heure et repensa à ce que Kate avait dit, qu'il fallait s'arrêter à la tombée de la nuit et faire un feu.

Cela faisait déjà plus de deux heures qu'il avait été séparé de ses compagnons. Où étaient-ils à présent ? S'étaient-ils rapprochés de la trouée entre les collines et de la promesse d'un fleuve ? Cela lui faisait tout drôle de s'inquiéter d'eux ; jusqu'à présent il ne s'était guère soucié des autres, pourtant il formait des vœux pour qu'ils s'en sortent, quoi qu'il puisse lui arriver à lui.

Il fouilla la clairière du regard en quête de bois mort. Elle était trop verte et luxuriante pour qu'il en trouve et il s'éloigna un peu. Lorsqu'il perçut un mouvement brusque dans les buissons, il réagit avec un temps de retard.

Il sentit l'impact avant d'avoir vu le serpent surgir de la végétation et le mordre juste sous le genou. Il recula d'un pas, puis de deux. Le reptile mesurait au moins un mètre cinquante de long et était tacheté de brun, de noir et de jaune.

Tom recula encore d'un pas, mais le serpent se lova et frappa une deuxième fois. Il le manqua de peu et repartit aussitôt à l'attaque. Tom trébucha, tomba sur son sac à dos. Il fit une roulade et se remit debout vite fait en voyant le reptile s'apprêter à revenir à la charge.

Il attrapa son sac et détala à toutes jambes. Après avoir parcouru une dizaine de mètres sur la piste, il s'arrêta net, redoutant de se jeter sur un autre danger. Le cœur tambourinant, il scruta le sol autour de lui. Il croyait voir des serpents partout.

Puis il inspecta sa jambe et repéra deux petites déchirures dans son pantalon, là où le serpent l'avait atteint. Il vacilla, pris d'une autre peur. Mais il fallait qu'il sache s'il avait été mordu, même s'il ne pourrait rien y faire.

Il lâcha son sac sur le sol et s'assit dessus, puis retroussa son pantalon jusqu'au genou. Il ne regarda qu'une seconde avant de fermer les paupières et de respirer une ou deux fois à fond, submergé par la terreur. Il secoua la tête. Il ne voulait pas regarder de nouveau, mais il le fallait. Il rouvrit les yeux. Il vit deux traces très nettes de morsure sur le côté de son mollet, sa peau zébrée du sang qui s'en écoulait.

— Crétin, siffla-t-il. Crétin !

Soudain, il ressentit un profond chagrin. Pas seulement pour lui-même, mais pour Toby. Sans le connaître, il avait pourtant tout de suite attribué sa mort à un manque de vigilance. À présent, confronté à la réalité, il avait pu constater avec quelle rapidité un serpent presque invisible pouvait frapper. Il s'imagina Toby en train de tomber, la vipère se jetant sur lui, et se sentit honteux de sa propre indifférence au moment du drame.

Au moins, Toby avait été entouré d'autres personnes, qui avaient essayé de l'aider, qui avaient porté son corps mourant. D'une certaine façon, il semblait logique que si Tom devait mourir, ce serait seul, sans que personne sache jamais pourquoi ni comment. Il ne voulait pas y croire, mais en même temps, il ne pouvait pas s'empêcher de penser que c'était ce qu'il méritait. C'était la fin de son histoire, et il la terminerait tout seul.

Chapitre 30

Tom avait beaucoup réfléchi à la mort ces huit dernières années. Et il s'était souvent demandé si, le moment venu, il verrait sa mère et son père. Pas dans une vie après la mort, mais durant ses derniers instants, comme il avait entendu certaines personnes en témoigner. Pour le rassurer et lui dire que tout irait bien.

Assis sur son sac à dos, il s'employait à faire ralentir son rythme cardiaque, craignant qu'il ne revienne jamais à la normale. Il espérait tant un signe de leur présence, pour ne plus être seul, pour ne plus être orphelin. Les larmes emplirent ses yeux, car il avait attendu ce signe durant ces huit dernières années : savoir qu'ils étaient à ses côtés, qu'ils veillaient sur lui.

Il se rappela soudain les parties de basket dans la cour avec son père, qui n'avait jamais été très bon. Et puis, un soir d'été avant l'accident, alors que Tom regardait par la fenêtre de sa chambre, il avait vu son père ramasser la balle et effectuer un parfait lancer arrière jusque dans le panier. Tom avait été stupéfait, et plus encore lorsqu'il avait compris que son père avait toujours feint d'être mauvais pour le laisser gagner.

Ce souvenir le fit sourire. Il chassa une mouche qui prenait ses aises dans sa plaie et remarqua que son cœur avait retrouvé son rythme habituel. Il regarda sa montre, mais ne savait pas au juste combien de temps s'était écoulé depuis la morsure. Il avait peur d'espérer.

Toby avait été en état de choc, c'était ce qu'ils avaient dit, mais le pouls de Tom était régulier. La mouche s'installa de nouveau et Tom l'écarta d'un revers de la main. Il versa un peu d'eau sur la plaie et nettoya le sang en grimaçant.

Se pouvait-il que ce serpent ne soit pas venimeux ? Il aurait dû commencer à ressentir des symptômes à présent. Ce serait une chance inouïe... Quoi qu'il en soit, il avait été mordu par un animal sauvage, et même si ce n'était pas mortel, cela risquait de s'infecter. Il n'avait pas de trousse de premiers soins, toutefois il avait une crème antiseptique pour les ampoules et autres blessures mineures.

Il se leva péniblement, comme si sa jambe était cassée, craignant de la bouger. Et dès qu'il eut trouvé la crème, il se rassit et en passa avec précaution sur la plaie, se crispant chaque fois que ses doigts effleuraient un amas de sang coagulé.

Après quoi, il consulta de nouveau sa montre. Il fallait qu'il s'active, car le jour ne durerait pas. Si la morsure ne le tuait pas, se retrouver seul la nuit sans feu s'en chargerait. Soudain, il entendit un bruit sur la piste et se figea, l'oreille aux aguets.

Qu'est-ce que la jungle allait lui envoyer, cette fois ?

De nouveau le bruit. Quelque chose avançait vers lui à travers la végétation. Ce n'était pas un jaguar, car il ne l'aurait pas entendu approcher. C'était probablement un pécari ou une biche.

Il prit le couteau dans la poche latérale de son sac et se leva. Bien qu'il n'y vît pas grand-chose, il finit par détecter un mouvement infime entre les arbres. Il resserra sa prise sur le couteau et son cœur s'emballa... mais cette fois, il savait pourquoi.

Le bruit s'intensifia, le mouvement aussi, et soudain, elle apparut sous ses yeux écarquillés. Il crut d'abord que le groupe était parti à sa recherche, mais elle était seule.

Kate.

Kate était revenue pour lui.

Quand elle l'aperçut, elle sourit jusqu'aux oreilles, rit et pressa le pas. Tom sentit les larmes monter à nouveau, cette fois de joie et de soulagement. Quand elle arriva à sa hauteur, mi-pleurant, mi-riant, tous deux tombèrent dans les bras l'un de l'autre.

Il la serra fort, réconforté de sentir qu'elle lui rendait son étreinte. Enfin, il s'écarta d'elle et la scruta.

— Tu es revenue pour moi.

Elle hocha la tête et haussa les épaules.

— J'étais sûre de te trouver. Je ne supportais pas l'idée que tu passes la nuit seul ici. Alice voulait venir, et George aussi, mais je leur ai dit que je me débrouillerais mieux seule. Tu allais dans la bonne direction. J'ai parié là-dessus, j'étais certaine que tu saurais t'orienter.

— Eh bien, moi, je n'étais pas convaincu, et je... Il faut qu'on trouve un endroit pour nous installer.

— L'extrémité du ravin n'est qu'à quelques minutes. On pourra y passer la nuit. On rattrapera le groupe demain matin. (Elle baissa les yeux et recula d'un pas.) Qu'est-il arrivé à ta jambe ? s'affola-t-elle.

— Une morsure de serpent. J'ai découvert une clairière idéale pour la nuit, mais cette bestiole a surgi de nulle part et m'a attaqué plusieurs fois d'affilée. Même quand j'ai battu en retraite, le serpent ne m'a pas lâché.

Il se rendit compte comme c'était compliqué de décrire ce que ça faisait d'être attaqué et de penser qu'on allait peut-être mourir. Cela dit, était-ce vraiment nécessaire ?

— Assieds-toi. Laisse-moi regarder.

Il s'exécuta, ravi qu'elle prenne les choses en main.

— Il t'a poursuivi ? Il ressemblait à quoi ?

— Environ un mètre cinquante, tacheté de jaune, de marron et de noir. Il bougeait si vite que je l'ai à peine vu.

— Waouh ! s'exclama-t-elle en examinant la plaie. Comment ça va, la respiration et le cœur ?

— Ça va, maintenant. Pourquoi tu as dit waouh ?

— Une sensation de brûlure autour de la plaie ? l'interrogea-t-elle en appuyant sur la chair.

— Ça fait un peu mal, mais ça ne brûle pas. Pourquoi ? Qu'est-ce...

Elle le regarda.

— Sans doute une vipère fer-de-lance. Tu as eu de la chance. Et pas qu'un peu. Ces crotales sont agressifs et leurs attaques sont souvent mortelles. Il est plus que probable que ce soit l'un d'eux qui ait tué Toby.

— Alors pourquoi je ne suis pas mort ?

— Dans environ vingt-cinq pour cent des cas, la première morsure n'injecte pas de venin, c'est comme un avertissement. C'est ce qui a dû t'arriver. Sinon le venin aurait commencé à digérer ta chair à l'heure qu'il est. C'est pour ça que je te demandais, pour la brûlure.

— Waouh.

Toutes ces pensées – ses parents, sa gratitude, son soulagement, sa volonté de ne jamais oublier à quel point il avait eu de la chance – lui donnaient le vertige.

167

— Exactement. J'ai des désinfectants pour nettoyer ça un peu mieux, mais dressons d'abord le camp.

Elle l'aida à se relever.

— Kate, je… Merci, dit-il finalement.

— Tu aurais réussi à nous rejoindre sans moi. Je me suis juste dit que tu préférerais avoir un peu de compagnie. Ça sert à ça, les amis. Pas vrai ?

— Je n'ai jamais été vraiment ami avec qui que ce soit, répondit-il en riant.

— Eh bien… Aucun de nous n'est défini par la personne qu'il était dans le passé. On a survécu à un crash d'avion, Tom. Que ça nous plaise ou non, voilà qui nous sommes aujourd'hui.

Elle avait raison. Ils étaient tous devenus de nouvelles personnes après l'accident, et s'ils survivaient, si lui parvenait à éviter les serpents, ces jours passés dans la jungle marqueraient de façon indélébile le reste de leur vie.

Chapitre 31

Kate avait dit vrai : Tom n'était qu'à quelques minutes du ravin, et à un endroit où le bord s'était éboulé, formant une pente douce jusqu'au fond. Il était tentant, mais trop risqué, de s'installer dans le ravin. À l'évidence, lorsqu'il pleuvait, l'eau devait s'y engouffrer avec violence. Ils restèrent donc près du bord et parvinrent à trouver assez de bois pour allumer un feu.

— J'ai vu des noix et des fruits en venant, dit Kate en sortant quelques snacks de leurs sacs. Je n'ai pas eu le temps d'en cueillir, mais on le fera sur le chemin du retour. Nos réserves de nourriture sont quasiment épuisées.

— Comment vont les autres ?

— Je ne suis guère restée avec eux plus d'une demi-heure après qu'on t'a quitté. Il va sans dire que Joel était contre l'idée que quelqu'un d'autre fasse cavalier seul, mais je ne lui ai pas laissé le choix cette fois. Et toi, c'était comment d'être livré à toi-même dans cet environnement hostile ?

— À part le serpent venimeux ? Ça faisait peur. Toutes les pistes allaient dans la mauvaise direction, alors pour revenir jusqu'ici, j'ai dû... j'ai dû traverser des colonies d'araignées, un immense réseau de dix à vingt mètres, avec des milliers d'araignées…

— J'en ai déjà vu ! En vacances, une fois. On aurait dit des nuages de barbe à papa.

— Oui, c'était assez dingue. Et puis je me demandais si j'allais vous retrouver. Ensuite il y a eu le serpent. Comment tu l'as appelé ?

— Une vipère fer-de-lance.

— Et tu crois que c'est ce genre de serpent qui a causé la mort de Toby ? Je ne le connaissais pas, dit Tom, quand Kate hocha la tête.

— C'était un con. Je sais, on ne devrait pas dire du mal des morts, et je suis désolée de ce qui lui est arrivé, vraiment, mais il n'empêche que c'était un con. Il passait son temps à faire des commentaires pas très malins sur Emma et moi.

— Ah.

— Oui, tous les poncifs homophobes. Il était réac.

Tom regarda le ciel orangé au-dessus d'eux, et songea que la nuit allait tomber d'une minute à l'autre. Il s'étonna brièvement d'avoir appris à détecter ce glissement subtil, mais d'autres choses lui occupaient l'esprit.

— Vous n'êtes pas ensemble, si ?

Elle lui lança un sourire en coin.

— J'aurais dû deviner que tu aurais remarqué, malgré ton indifférence, dit-elle avec une petite note taquine dans la voix. Emma est gay. Pas moi. On est liées depuis tellement longtemps, et je pense que ça lui simplifie la vie que beaucoup croient que nous sommes en couple. Tu n'imagines pas le nombre de personnes qui se comportent comme Toby. Ils n'ont pas encore compris qu'on était au XXIe siècle.

Il était impressionné que des amis puissent se protéger ainsi les uns les autres, plus encore peut-être qu'il ne l'avait été de découvrir que Kate était partie seule à sa recherche. Qu'il puisse comprendre qu'on prenne un risque pour quelqu'un, mais que les complexités d'une amitié lui paraissent aussi étrangères montrait à quel point il était paumé.

Ils restèrent assis en silence un moment, la nuit tomba et le monde se réduisit à la lueur de leur feu et au bruissement permanent de la jungle.

— À propos, dit Kate en remuant les braises avec une branche, Alice et toi iriez super bien ensemble.

Il rit, et ressentit en même temps une bouffée de bonheur qu'il n'arriva pas tout à fait à analyser.

— Je suis sérieuse. Je crois qu'elle t'aime bien depuis un bon moment.

— J'en doute. Mais c'est possible qu'il y ait une connexion entre nous. Qui sait, peut-être que quand on rentrera chez nous... Et toi ? demanda-t-il, préférant changer de sujet. Est-ce qu'il y a quelqu'un...

— Pas vraiment, répondit-elle en restant très concentrée sur le feu. Il y avait bien quelqu'un à qui je m'intéressais, mais... il était dans l'autre partie de l'avion.

Étrangement, Tom pensa aussitôt à Charlie Stafford, suspendu dans un arbre. Il se les imaginait bien ensemble, sans savoir pourquoi. Cela le rendit un peu triste de penser que ça n'arriverait jamais.

— Je suis désolé.

— Oui. Mais attention, hein, il ne savait pas que je l'appréciais de cette manière, et je pense que ça n'aurait pas été réciproque.

— Je ne vois pas pourquoi. Tu es séduisante, intelligente…

— Ma parole, tu me dragues ! Non, mais tu sais, c'est aussi que je me suis toujours dit qu'on avait tout le temps devant nous, que ce n'était pas la peine de se précipiter. Et regarde où on en est aujourd'hui. Désolée, ajouta-t-elle à la hâte, ce n'est pas à toi que je devrais dire ça.

Il fallut une seconde à Tom pour comprendre à quoi elle faisait allusion. Il lui sourit.

— Je ne pensais pas à mes parents. Je réfléchissais au fait que tu ne dois pas t'en vouloir d'avoir désiré prendre ton temps. C'est ce qui nous distingue de tous les animaux de cette jungle : envisager l'avenir. On a des projets, des rêves. Tu vois, tous ces mèmes à la con qui te disent de vivre chaque jour comme si c'était le dernier. Eh bien, on n'est pas obligés. C'est un des luxes de l'être humain.

— Tu as raison. Même si, en l'occurrence, ce genre de luxe nous échappe un peu.

Ils furent pris d'un fou rire, né du soulagement et de la joie d'être devant ce feu dans cet endroit des plus improbables. Certes, le lendemain serait peut-être leur dernier jour, tout comme celui-ci aurait pu l'être, mais ils étaient encore là, et vivants.

Chapitre 32

Ils dormirent chacun leur tour, et dès que l'aube commença à poindre, ils descendirent dans le ravin, après avoir pris soin d'éteindre le feu. Le ciel était toujours d'un orange profond au-dessus d'eux, et par moments, ils percevaient l'odeur âcre caractéristique qui laissait deviner l'origine de cette pollution.

Au bout de quelques centaines de mètres, ils trouvèrent une issue au pied de l'autre paroi, et Kate ouvrit la route avec autant d'aisance que si elle avait emprunté cette piste des dizaines de fois.

Ils s'arrêtèrent pour cueillir des papayes. Tom repéra un autre arbre chargé de fruits.

— Je ne sais pas ce que c'est, dit Kate avant d'étudier un fruit dans sa main. Je me souviens d'un guide qui nous en avait donné lors de vacances en Colombie.

— Peut-être que nous sommes en Colombie, dit Tom.

Ils marchèrent encore quelques minutes, jusqu'à ce que Kate pointe du doigt le sol autour d'un arbre.

— Ça, c'est encore mieux. On les ouvrira quand on aura rejoint les autres. Ce sont des noix du Brésil.

— Eh ben… Pourquoi c'est pas toi qui commandes ?

— C'est pas mon truc.

— Ni le mien.

— Si, Tom. C'est juste que tu ne le sais pas. Allez, viens, on remplit nos sacs et on continue.

— Oui, chef.

Ils reprirent leur marche dans un silence presque complet. À l'occasion, Kate lui montrait un animal, une plante ou un arbre et faisait des commentaires. Comment pourrait-il reprocher à Joel de ne pas s'être rendu compte de l'étendue des connaissances de Kate, quand lui-même n'en avait rien vu ? Même son comportement lorsqu'ils avaient découvert la basket de Naomi ne l'avait pas préparé à comprendre à quel point cet environnement lui était familier. Emma et elle avaient décidé de sortir de cette jungle seules et Tom ne doutait pas une seconde qu'elles y seraient parvenues.

Ils s'arrêtèrent pour se restaurer à un endroit où plusieurs pistes se croisaient et partagèrent un paquet de biscuits aux flocons d'avoine et la plus petite des papayes qu'ils avaient cueillies. Ce fut le jus du fruit qui fit prendre conscience à Tom de sa soif mais ils s'interdirent de toucher à leur réserve d'eau, qui diminuait.

Ils restèrent assis quelque temps, curieusement rassasiés par cette quantité infime de nourriture et soulagés de pouvoir reposer leurs jambes fatiguées. Kate ouvrit la bouche, la referma, puis inclina la tête de côté. Tom scruta les arbres à son tour.

Avaient-ils entendu quelque chose ? Ils s'étaient habitués au bruit de fond de la jungle, mais avaient perçu le son d'au moins une voix.

Elle leur parvint à tous les deux en même temps.

— Joel, dit Kate.

— Je n'aurais jamais cru que je serais si content de l'entendre. À quelle distance sont-ils d'après toi ?

— Ils ont l'air proches. Au moins, on sait qu'ils vont dans la bonne direction.

Ils repartirent peu de temps après, et au cours des heures suivantes, ils perçurent des bribes de bavardages et la voix de Joel. Cependant, ils n'avaient pas l'air de se rapprocher, et les voix paraissaient même parfois plus distantes.

— Ils sont toujours devant nous, assura Kate. On les croirait parfois beaucoup plus loin, mais c'est probablement une illusion due à la topographie des lieux.

— C'est forcément ça, dit-il en remarquant son hésitation. On avance plutôt vite, et ils se traînaient déjà comme des escargots quand on les a quittés.

— Tu as raison. C'est seulement que j'aimerais les rattraper avant la nuit.

— Il nous reste une heure ou deux. On va y arriver.

Tout à coup, elle sourit, si longtemps qu'il s'exclama :

— Qu'est-ce qu'il y a ?

— Rien. C'est juste… Est-ce qu'on pourra être amis après notre retour ?

Il rit, légèrement gêné.

— On n'est pas amis, là ?

— Si, mais… Oh, et puis merde ! fit-elle. Emma et moi, on a toujours eu pour toi une attirance platonique, à force de t'observer en cours de littérature, si distant, si hostile et si noble à la fois, un peu comme le type dans *Le Meilleur des mondes*.

— Celui qui se pend ? Tu sais, je n'ai jamais cherché à être hostile.

— Je sais. Je sais.

175

Elle sourit à nouveau, un peu tristement, puis ils reprirent leur route.

Dix minutes plus tard, la piste longeait un petit promontoire et ils aperçurent les collines à l'horizon, ainsi que la trouée convoitée. Cela les encouragea, même si, durant la demi-heure suivante, le groupe qu'ils tentaient de rattraper sembla s'être volatilisé.

Puis ils entendirent de nouveau Joel et, aussitôt après, des cris et des rires. De l'eau coulait quelque part sur la droite, des rapides probablement, mais Kate et Tom se concentrèrent sur le bruit droit devant eux, qui, cette fois, ne s'estompa pas dans le bourdonnement de la jungle.

Ils virent les autres survivants avant que ceux-ci ne les voient. Kate et Tom grimpèrent sur une petite éminence et regardèrent la scène qui s'offrait à eux. Le groupe s'était arrêté à l'endroit où la rivière pénétrait dans le défilé qui coupait en deux la chaîne de collines. C'était une sorte de plage rocheuse, en forme de fer à cheval, vraisemblablement creusée par les torrents qui dévalaient la pente pour se mêler aux eaux qui s'engouffraient dans le défilé.

Même de là où il était, Tom pouvait constater que la rivière était bien plus agitée ici qu'elle ne l'avait été la veille, mais les rives érodées et la large plage suggéraient que ce n'était rien en comparaison de ce que ça devait être à la saison des pluies.

Kate pensait clairement la même chose.

— Ce n'est pas un mauvais endroit pour installer son camp. Tant qu'il ne pleut pas.

En bas, certains essayaient de faire un feu ; ils ne devaient pas être arrivés depuis longtemps. C'était peut-être pour ça qu'ils avaient entendu des rires : la joie d'atteindre une destination, peu importe laquelle, après deux jours de marche.

Tom remarqua un attroupement d'un côté de la plage et, lorsqu'une personne s'écarta, il vit Barney apporter la dernière touche à ce qui avait tout l'air d'être un abri improvisé, protégé par l'une des moustiquaires. Peut-être quelqu'un était-il blessé ou malade.

Il jeta un coup d'œil pour passer les visages en revue et sourit malgré lui en voyant Alice traverser la plage avec une brassée de branches.

— Prêt ? demanda Kate.

— Tu m'as demandé si on pouvait être amis et la réponse est oui, naturellement. Mais surtout, je veux que tu saches que je n'oublierai jamais ce que tu as fait pour moi hier.

— Tu aurais réussi à revenir seul, répondit-elle, gênée. Et tu aurais fait la même chose pour moi.

— Peut-être.

Tous deux entreprirent de descendre le sentier qui menait au nouveau camp.

Chapitre 33

Jess fut la première à les voir. Elle courut vers Tom et le serra dans ses bras, rapidement suivie de George et de quelques autres, au point qu'ils faillirent le renverser. Kate eut droit au même traitement.

Puis les gens s'écartèrent pour les laisser respirer et les bombardèrent de questions. À quelques mètres de là, Tom vit Alice. Son sourire était si chaleureux qu'il pensa que Kate pouvait avoir raison : s'ils se sortaient de là, peut-être pourrait-il y avoir quelque chose entre eux.

Il fit quelques pas dans sa direction.

— Comment ça va ?

— Oh, tu sais, la routine…, répondit-elle avant de rire et de le serrer brièvement dans ses bras. Je n'ai jamais eu le moindre doute.

Ce fut au tour de Shen d'apparaître.

— Ça fait plaisir de te revoir, Tom.

— Je suis content qu'on vous ait rattrapés.

— Vous n'auriez pas pu faire autrement, répondit-il en s'assombrissant. Je crois qu'on ne va pas bouger d'ici avant un jour ou deux.

Tom regarda aussitôt en direction de Barney, qui était encore à l'œuvre. Joel supervisait la construction, l'air de ne pas avoir remarqué que Kate et Tom étaient de retour. Quelqu'un était allongé sous la moustiquaire.

— C'est Chloé, expliqua Alice. Elle a commencé à se sentir mal hier. Barney lui a fabriqué une civière, mais Shen pense qu'elle ne va pas suffisamment bien pour qu'on la déplace avant un moment.

— Oui, elle a une sorte de fièvre, dit celui-ci. Mais j'ai bon espoir. (Son haussement d'épaules trahissait la fragilité de cet espoir.) On a été vaccinés contre les pires maladies. En fait, elle est épuisée, comme tout le monde. Il y a quelques entorses, certains s'affaiblissent...

— Et les réserves d'eau ?

La mine que fit Shen n'augurait rien de bon.

— Je n'étais pas très emballé quand Joel a décidé qu'on allait s'installer ici, mais on n'a vu aucun prédateur, et il y a pas mal de courant. On utilisera les comprimés pour purifier l'eau, et on la fera bouillir par mesure de précaution.

— Et la nourriture ?

— On peut tenir longtemps sans manger, répondit Shen.

— On peut peut-être faire quelque chose à ce sujet, n'est-ce pas, Tom ? intervint Kate.

Il avait complètement oublié les fruits et les noix dans son sac. Avant qu'il puisse répondre, Alice prit Kate dans ses bras et il l'entendit lui chuchoter quelques paroles qui firent sourire Kate.

— Il serait rentré tout seul de toute façon. Je crois qu'il avait déjà traversé le pire avant que je le trouve. Il a même réussi à se faire mordre par un serpent.

— Je vais bien, assura-t-il lorsqu'il vit l'air alarmé d'Alice. Shen regardera ça plus tard. Pour en revenir à la nourriture...

Ils ôtèrent leurs sacs à dos et déballèrent leur cueillette. Joel survint alors.

— Heureux que tu aies pu venir, Tom.

C'était une tentative d'humour. Tom sourit.

— J'ai entendu dire que vous faisiez une fête.

— Oui, fit Joel avec un sourire maladroit. C'est quoi, tout ça ? ajouta-t-il en regardant les fruits.

— Des papayes, dit Kate. Et les trucs qui ressemblent à des noix de coco, c'est des noix du Brésil.

Shen et Alice, accroupis, les inspectaient déjà. Joel se montra plus circonspect.

— Je ne sais pas si c'est très prudent. Beaucoup de choses ici qui peuvent sembler familières sont du poison. On nous a bien mis en garde avant le départ.

— Le choix t'appartient, Joel. Tu peux me faire confiance et en manger, ou rester sur ta faim.

— Non, je ne voulais pas mettre en doute...

Elle n'attendit pas qu'il ait terminé et se tourna vers Shen.

— Si on ne repart pas tout de suite, on pourra pêcher demain. J'utiliserai une des moustiquaires.

Joel, la mine sceptique, s'éloigna sans faire de commentaires. Kate partit rejoindre Emma. Alice et Shen échangèrent un regard.

— On aurait dû arriver il y a des heures, déclara Shen. Joel s'entêtait à marcher dans la mauvaise direction. On a dû insister pour le convaincre qu'on faisait fausse route.

— Pour finir, ajouta Alice, George est monté tout en haut d'un arbre afin d'avoir une vue d'ensemble, et Joel a bien été obligé d'admettre qu'il s'était trompé et qu'il fallait rebrousser chemin. Ça a été une dure journée pour tout le monde.

— Ça se voit, dit Tom.

Autour de lui, le camp prenait forme, avec son cercle de sacs à dos et les deux caisses à canot autour du feu, la petite tente-hôpital sur le côté. Mila se massait la cheville, Nick, très pâle, paraissait mal en point, Oscar était affalé contre son sac, ses cheveux trempés de sueur collés à son front. Tom venait de passer deux jours éprouvants, mais il se sentait mal pour tous les autres.

— Du moment qu'on peut manger et boire, une journée de repos ici est sans doute une bonne chose.

— On va s'occuper du repas, déclara Alice.

Shen fit appel à des volontaires pour ouvrir les noix du Brésil et fit griller des viennoiseries récupérées dans différents sacs, une initiative qui lui valut une avalanche de compliments. Ensuite, l'atmosphère devint nettement plus enjouée. Seule la présence de Chloé sous la moustiquaire leur rappelait combien leur situation était précaire.

Puis le soleil se coucha derrière la brume orangée et ce fut l'obscurité totale.

— Alors c'est là qu'on va utiliser les canots ? demanda Mila à Joel.

— On décidera demain. C'est un bon endroit, et la rivière est assez large, mais il faudra aller voir en aval à quoi ça ressemble.

Shen lança à Tom un sourire ironique. La trouée ressemblait plus à une gorge, et les rochers qui parsemaient l'eau étaient visibles de la plage… Tom était prêt à parier qu'ils allaient devoir franchir les collines à pied.

Joel l'avait peut-être compris lui aussi, mais repoussait le moment où il allait devoir l'annoncer, attendant qu'ils soient plus reposés. Tom était bien obligé de l'admirer à certains égards. Même s'il devait être aussi fatigué que tout le monde, il parvenait à conserver son sang-froid de façade, comme s'il portait mentalement tout le groupe.

Les uns après les autres, ils s'installèrent pour la nuit et bientôt il ne resta plus que cinq personnes à être éveillées. Barney, au chevet de Chloé, lui passait un linge humide sur le front. Tom, Alice, George et Shen se tenaient, silencieux, autour du feu.

— Tu crois que Kate saura attraper du poisson, Tom ? demanda soudain Shen.

L'inquiétude perçait dans sa voix. Il redoutait qu'ils ne meurent de faim et de soif, car ils avançaient trop lentement. Sur ce point-là, au moins, Tom pouvait le rassurer.

— Et comment ! Elle est dans son élément. Elle m'a vraiment bluffé hier.

— Pas de souci, alors, dit Shen. Toutefois, je serai plus rassuré quand on sera sur la rivière… Sur ce, bonne nuit.

Il s'allongea contre son sac, et les autres regardèrent le feu en silence, perdus dans leurs pensées.

Chapitre 34

Le matin suivant ne contribua guère à remonter le moral des troupes. Le soleil se leva avec cette même pâleur orangée maladive, tout le monde était plus ou moins patraque : Oscar souffrait d'on ne savait quoi ; Lara boitait toujours ; Mila avait encore besoin de sa béquille. On aurait dit un campement en état de siège.

Très vite, Joel annonça qu'ils ne pourraient pas utiliser les canots ici et qu'ils resteraient une journée de plus pour récupérer avant de franchir les collines à pied. Loin d'être déçue, la majorité du groupe parut soulagée. L'humeur s'améliora même lorsque Joel organisa des équipes pour ramasser du bois et s'occuper avec Shen du problème de l'eau.

— Comment ça va ce matin ? demanda Tom à Alice.

— Ça va, et toi ?

— Ça va. J'envisage de gravir la colline, pour voir ce qu'il y a de l'autre côté.

— Je viens avec toi.

Il fut heureux qu'elle ait envie de l'accompagner, et surpris aussi de sa réaction. À peine quelques jours plus tôt, il pensait n'avoir rien en commun avec aucun des membres du groupe et voilà qu'aujourd'hui il s'était fait une demi-douzaine d'amis.

— Il faudrait prévenir Joel. Pour éviter les embrouilles, ajouta-t-il devant son air incrédule.

— D'accord, je m'en charge, accepta-t-elle à contre-cœur.

Tandis qu'elle s'éloignait, Barney s'approcha avec la lance-harpon.

— Salut, Tom. Je n'ai pas vraiment eu l'occasion de discuter avec toi hier.

— Comment va Chloé ? demanda-t-il en voyant que Chris avait relayé Barney.

— Elle va s'en sortir, je crois.

Tom hocha la tête.

— Je vais monter en repérage au sommet de la colline.

— Dans ce cas, prends ça, dit Barney en lui tendant la lance. Je l'avais faite pour toi de toute façon.

Barney alla rejoindre Kate et George au bord de la rivière. George tenait bien haut une moustiquaire, tandis que Kate lui expliquait comment procéder.

— Joel veut qu'on attende une minute. Il vient avec nous, annonça Alice.

— OK.

Ils se mirent tous les trois en route et repérèrent un sentier à flanc de colline. Une fois dans les sous-bois, celui-ci disparut presque complètement et Tom utilisa sa lance pour se frayer un passage. Ils piétinèrent consciencieusement le sol en vue du retour.

Ils parvinrent enfin à un promontoire sur le versant opposé qui leur permit de voir au-delà de la cime des arbres qui tapissaient les collines.

De prime abord, c'était assez décevant : une succesion de molles ondulations et de vastes étendues plates, une verte forêt tropicale aussi loin que portait le regard.

Puis Tom pointa du doigt la rivière, large et tranquille de l'autre côté de la gorge.

— On dirait qu'on est encore très loin de tout, dit Alice après avoir longuement observé les lieux.

— Si c'est habité, ce sera sur les berges. En fait, je n'en ai aucune idée. Tout ce que je sais, c'est que c'est notre porte de sortie.

— Peut-être pas, fit remarquer Joel. Regardez là-bas.

Il montrait un endroit à gauche de la rivière : une fine volute de fumée s'élevait parmi les arbres.

L'espace d'un instant, Tom sentit son cœur s'accélérer. Se pourrait-il que ce soit un village ? Très vite, il en douta. C'était clairement un feu que quelqu'un avait allumé, pas un incendie de forêt ou un phénomène naturel. Mais qui pouvait bien faire un feu dans un endroit pareil ? Tout ça ne lui disait rien qui vaille. Sans compter qu'il leur faudrait deux heures au bas mot pour marcher jusque là-bas, et qui plus est dans la mauvaise direction.

Alice en était manifestement arrivée à la même conclusion.

— Ça a l'air… isolé. Il pourrait s'agir d'une tribu qui n'a jamais eu de contact avec le monde extérieur, dit-elle, morose.

— On n'est pas dans un de tes romans, Alice, protesta Joel. On est au XXIᵉ siècle.

— Tu devrais tâcher de lire un peu plus. Tu serais peut-être un peu moins con. Regarde cette jungle ! On est où, d'après toi ?

— Eh bien, je dirais en Amazonie.

185

— Exactement, en Amazonie, où il y a encore des tribus qui vivent coupées de tout et qui n'apprécient probablement pas qu'on les envahisse.

— Pire, ce pourrait être des rebelles, des gangs de trafiquants de drogue, qui sait, déclara Tom. Auquel cas, ça pourrait très mal se finir.

— C'est inouï ! s'écria Joel, exaspéré. On tombe sur le premier signe d'une présence humaine, et vous vous obstinez à vouloir vous embarquer sur une rivière qui risque de nous mener nulle part. Ces gens auront de la nourriture, peut-être du matériel médical, voire une radio. En ce qui me concerne, j'ai l'intention de découvrir à qui appartient ce feu. Mais je vais faire un compromis avec vous. Chloé ne peut pas bouger aujourd'hui, alors je suggère qu'un petit groupe aille mener l'enquête. On y va, et si ça craint, on décampe ni vu ni connu et on en revient au plan original.

Alice n'avait pas l'air d'humeur à faire des compromis.

— Si c'est une tribu d'autochtones, je doute qu'on ait la moindre chance de s'approcher sans qu'ils nous voient.

— Je te l'accorde, toutefois je crois que le jeu en vaut la chandelle. Tu as tort de supposer que n'importe qui dans la jungle nous est forcément hostile. Quoi qu'il en soit, Alice, ma décision est prise. J'y vais.

Tom se rendit compte qu'ils ne pourraient pas dissuader Joel.

— Qui comptes-tu prendre dans ton petit groupe de reconnaissance ?

Joel sembla pris au dépourvu. Il s'attendait sûrement que Tom conteste son plan.

— Eh bien, pourquoi pas nous trois ? Et peut-être Chris et Nick.

Tom acquiesça, content qu'il n'ait pas mentionné Kate, George, Shen ou Barney. Il voulait qu'ils restent au campement, car il était certain qu'ils veilleraient à protéger les autres si les choses tournaient mal. Il échangea un regard avec Alice. En acceptant d'accompagner Joel, ils avaient conscience qu'ils ne reverraient peut-être jamais le groupe.

Chapitre 35

Lorsqu'ils rentrèrent au campement, ils aperçurent Kate, George et Shen au bord de la rivière. Mila s'occupait de Chloé. Barney, assis près du feu, découpait son sac à dos avec un couteau.

— J'espère que ça ne te dérange pas, dit-il à Tom. J'ai pris le couteau dans ton sac.

— Je ne savais pas qu'il y avait un autre couteau, s'étrangla Joel.

— Ça ne me dérange pas, répondit Tom en l'ignorant. Qu'est-ce que tu fais ?

Barney contempla son sac à dos déstructuré.

— Je me suis dit qu'avec le nylon et l'ossature, ça ferait une base parfaite pour une rame.

Tom sourit, impressionné par son ingéniosité, sa curiosité d'inventeur.

— C'est super, mais j'espère bien qu'on n'en aura pas besoin. (Joel haussa la voix pour s'adresser au groupe.) On a repéré de la fumée de l'autre côté de la colline. Tom, Alice et moi allons partir en reconnaissance. Chris et Nick, vous venez avec nous.

Les questions fusèrent. Joel leva la main.

— On ne sait rien pour le moment. C'est clairement d'origine humaine, mais il faut qu'on aille vérifier, pour s'assurer que ce sont des gens en mesure de nous aider. Je suis certain que ce sera le cas. Sinon, on utilisera les canots, comme prévu au départ.

Kate et George s'approchèrent.

— Je vous accompagne, proposa George.

— Moi aussi, dit Kate.

— Non, on est suffisamment nombreux. On va voyager léger et on sera de retour avant la tombée de la nuit.

— Il est loin, ce feu ? questionna Shen.

— Non, à moins d'une heure de marche.

— Je dirais plutôt une bonne heure et demie, rectifia Alice. Et à condition que le terrain ne soit pas trop difficile.

— Je suis d'accord avec Alice, dit Tom.

— Dans ce cas, prenez vos sacs à dos, conseilla Shen. C'est suffisamment loin pour que vous risquiez de vous perdre, même si j'espère que ça n'arrivera pas.

— Tu as raison, dit Alice. Je vais prendre le mien.

— Moi aussi, déclara Tom, coupant court à toute protestation de Joel.

Tous se préparèrent pour le départ. Après s'être assuré que Joel n'était pas à portée de voix, Tom expliqua à Kate et à George pourquoi il valait mieux qu'ils restent.

— Si quelque chose tourne mal, je sais que je peux compter sur vous deux, et sur Barney et Shen, pour conduire tout le monde jusqu'au fleuve.

— Mais tu vas revenir ! s'écria George. Tu n'as pas le choix.

— On a besoin de toi ici, ajouta Kate, et je n'irai pas te chercher une deuxième fois.

— Je ferai de mon mieux, répondit Tom, touché.

Shen répartit les différentes fournitures entre les sacs pour s'assurer que l'équipe de reconnaissance avait un kit de premiers soins, de la nourriture et suffisamment d'eau.

Joel prit la tête du groupe, suivi de Chris et de Nick. Alice et Tom fermaient la marche. Ils s'éloignèrent rapidement de la berge en suivant le chemin qu'ils avaient déjà dégagé et, très vite, ils arrivèrent au promontoire. La fumée s'élevait toujours au loin.

— On y est, dit Chris en souriant de toutes ses dents.

Tom ne comprenait pas trop ce qu'il avait voulu dire par là, mais Joel acquiesça et indiqua un endroit sur leur gauche.

— On devrait pouvoir descendre par là, puis on se dirigera en diagonale…

— De quoi tu parles ? l'interrompit Alice. Joel, une fois en bas, on perdra le feu de vue. Nous devons suivre cette ligne de crête et ensuite descendre droit devant.

— Elle a raison, dit Nick, à la grande surprise de Tom.

— Comme d'hab, ajouta Chris.

— D'accord, marmonna Joel de mauvaise grâce. Ce sera plus dur, mais si ça peut vous faire vous sentir plus en confiance, très bien. (Il se tourna vers Tom.) Ça ne t'embête pas si je t'emprunte ta lance ?

— Pas du tout, répondit Tom en la lui tendant.

Ils se remirent en route. Ils apercevaient de temps en temps la colonne de fumée à travers la canopée. Chaque fois, Tom était soulagé de constater qu'elle n'était pas plus proche, parce qu'il avait la sensation de foncer tête baissée vers quelque chose d'aussi dangereux que la jungle.

Il apparut que même l'estimation d'Alice avait été très optimiste. Ils marchaient depuis plus d'une heure quand enfin la fumée parut leur faire face.

— On a dessiné deux longs côtés d'un triangle au lieu d'avancer en diagonale, dit Joel. On y serait déjà sinon. Enfin...

Il laissa ses paroles en suspens et entreprit de descendre la pente.

— On pourrait le tuer, dit Alice à Tom. Personne n'en saurait rien.

— Tu oublies qu'on est là précisément pour l'empêcher de se faire tuer, répondit Tom avec un sourire.

Le terrain s'aplanit au pied de la colline. Ils découvrirent un nouveau sentier, différent de ceux qu'ils avaient rencontrés jusque-là, tracé, semblait-il, par des humains. Cela aurait dû leur donner un regain d'espoir. Tom et Alice échangèrent cependant un regard chargé d'un mauvais pressentiment.

Tom eut envie de faire une pause, car il avait la sensation de vivre un de ces moments si particuliers, comme avec Naomi dans l'avion, ou comme dans les heures qui avaient précédé la mort de Freddie. Quelque chose de capital allait se jouer, et il avait l'impression que s'il s'accordait le temps de réfléchir, il parviendrait à lire l'avenir et à voir quel danger les guettait.

Il regarda Alice devant lui et prit conscience qu'une seule chose comptait pour lui : veiller à ce que rien ne lui arrive à elle.

Chapitre 36

À présent, ils marchaient dans le silence le plus total, espérant ainsi approcher sans se faire repérer. Tom étudiait les arbres autour d'eux, à l'affût du moindre indice indiquant qu'ils entraient sur un territoire tribal, sans trop savoir ce qu'il cherchait au juste. S'il espérait se rassurer, ça ne fonctionnait pas. Et il sentait alentour comme une hostilité sous le calme inquiétant.

De temps en temps, Joel s'arrêtait pour écouter, mais ce ne fut qu'au bout de près d'une heure qu'ils firent halte pour se désaltérer.

— J'entends un moteur de voiture, ou quelque chose comme ça, dit Alice.

— Ça m'étonnerait, répliqua Chris.

Mais Joel lui fit signe de se taire et tous tendirent l'oreille.

— Ça pourrait être un générateur, annonça Tom.

— Je vous l'avais dit, se réjouit Joel.

— Tu ne nous as rien dit du tout. Ils ont un générateur, et alors ? Ça ne veut pas dire qu'ils ne sont pas dangereux.

— C'est vrai. Mais ça ne veut pas dire non plus qu'ils le sont.

À mesure qu'ils avancaient, ils entendirent des hommes discuter. Ils s'arrêtèrent en apercevant trois bâtiments. L'un était une sorte de baraquement, le deuxième avait l'air d'une petite grange et le troisième était en partie ouvert sur les côtés. Une vingtaine d'hommes s'affairaient dans la zone défrichée entre les bâtisses, certains lourdement armés. Ils sortaient de gros sacs de la grange et les passaient à d'autres qui attendaient. Tout se déroulait apparemment dans la précipitation.

— OK, fit Joel, ne les prenons pas par surprise. Il ne faudrait pas leur faire peur ou...

— Tu rigoles, là, le coupa Alice, stupéfaite. C'est un laboratoire de cocaïne.

— Tu tires des conclusions un peu hâtives, Alice.

— Non. Je l'ai vu à la télé. La coca est cultivée et récoltée dans la jungle, avant d'être expédiée à partir de pistes d'atterrissage illégales sous forme de cocaïne. Le bâtiment ouvert, c'est là où ils la préparent. Et ça, c'est probablement une livraison qui s'en va.

Il la fixa du regard, cherchant à la contredire.

— D'accord, peut-être que tu as raison, finit-il par admettre. Ça ne veut pas dire pour autant qu'ils refuseront de nous aider, poursuivit-il à la stupéfaction d'Alice. On va les laisser terminer ce qu'ils sont en train de faire, et une fois la livraison partie, s'il s'agit bien d'une livraison, on avisera.

Chris et Nick acquiescèrent. Alice se tourna vers Tom, qui consulta sa montre.

— On est déjà limite si on veut rentrer avant la tombée de la nuit, mais on peut attendre une demi-heure.

— Tu conviens donc que ça vaut la peine de tenter le coup ? dit Joel, ravi.

— Non, je pense que tu es complètement fou.

— Alors pourquoi es-tu disposé à attendre ?

— Au cas improbable où ils s'en iraient tous en laissant derrière eux une radio ou je ne sais quoi.

— Alice et toi avez tort. On va s'éloigner un peu et refaire le point dans une demi-heure.

Alice, sans répondre, s'enfonça dans la végétation. Tous la suivirent.

La demi-heure était presque écoulée lorsque tout devint silencieux. Même le générateur s'était tu, ainsi que les discussions, si vite que cela inquiéta Tom. Il redoutait que les trafiquants ne les aient repérés et ne leur tendent une embuscade.

Apparemment, Joel ne partageait pas ses craintes.

— Viens, Chris, allons jeter un coup d'œil.

Ce dernier hocha la tête avant de dire à Tom :

— On va se sortir de là. La fortune sourit aux audacieux.

Une fois Joel et Chris partis, Nick se tourna vers Tom.

— Tu penses détenir toutes les réponses, hein ? Tu te crois tellement cool.

Tom n'aimait pas ce ton, pas plus que de se rendre compte qu'il avait probablement été un sujet de conversation pour Joel et sa clique.

— On se connaît ? rétorqua-t-il avec une voix pleine de défi.

Nick, si combatif la plupart du temps, fut désarçonné par l'hostilité de Tom.

— Joel te prouvera que tu as tort, se contenta-t-il de marmonner.

— Tu ne parles pas de moi, plutôt ? intervint Alice. C'est moi qui ai soulevé une objection, mais j'imagine que comme je suis une fille, mon point de vue compte pour du beurre ? La vraie question, c'est de déterminer qui est le mec le plus important du groupe, c'est ça que tu es en train de dire ?

— Non, je... Non, pas du tout. Je...

— Bien. Parce que je ne connais pas très bien Tom, mais je sais qu'il se contrefiche de tout ça. Son seul objectif, c'est de nous sortir de là vivants.

— Joel aussi.

— Eh ben, il s'y prend comme un manche.

Nick était sur le point de répondre, quand Tom annonça :

— Ils sont de retour.

— La zone est dégagée, claironna Joel en s'accroupissant près d'eux. Le feu est vert, on lance l'opération. Il reste seulement six ou sept types, sûrement ceux qui gardent les lieux, sans doute des paysans. Alors Chris et moi, on va enfiler nos sacs à dos et entrer dans le camp par l'autre côté, comme si on arrivait de la rivière.

— On leur dira que notre bateau a été endommagé, compléta Chris.

— S'ils ont l'air prêts à nous aider, on leur dira qu'on n'est pas seuls.

— Et si ce n'est pas le cas ? demanda Alice.

— On s'enfuira en direction de la rivière. Ces types sont des paysans, pas des rebelles ou je ne sais quoi.

Il commença à enfiler son sac et Chris l'imita.

— Attendez, vous y allez maintenant ? s'étrangla Alice.

— La fortune sourit aux audacieux, répéta Chris, les yeux brillants.

Joel rendit la lance à Tom.

— Il vaut mieux que vous l'ayez. Ils pourraient mal interpréter nos intentions.

— Joel, déclara Tom, je sais qu'on est rarement d'accord, mais je te demande de ne pas le faire. Tu te mets en danger, et l'ensemble du groupe par la même occasion. Tu as vu la rivière. On peut la descendre avec les canots.

— Parfois, Tom, il faut savoir prendre des risques. Et celui-ci en vaut la peine. OK, Chris, allons-y.

Et ils s'éloignèrent dans la jungle à grandes enjambées.

Chapitre 37

Tom, Alice et Nick retournèrent à l'endroit d'où ils avaient observé les lieux à leur arrivée. La grange était bouclée, le bâtiment ouvert semblait désert. Par la porte entrebâillée du baraquement parvenait une musique éraillée. La fumée qu'ils avaient aperçue provenait d'une étroite cheminée métallique sur son toit.

Pour la première fois, Tom remarqua qu'il y avait un chien attaché au mur du bâtiment principal. Derrière lui, une petite extension devait abriter le générateur et, à côté, il y avait de gros jerrycans probablement remplis d'essence.

L'animal, qui était allongé sur le sol, sauta soudain sur ses pattes et scruta la végétation. Il grogna, laissa échapper un aboiement hésitant. Puis un autre, plus sûr de lui.

Un homme apparut à la porte et avança sur le perron. Il s'adressa au chien en espagnol, et l'animal remua la queue en aboyant en direction des arbres. L'homme étudia les lieux à son tour.

Il était costaud, avec une moustache et des cheveux clairsemés. Il portait un tricot de corps crasseux et un short de foot vert. Tom voulait bien croire Joel quand il disait qu'il s'agissait probablement d'un paysan, il n'aurait pas voulu pour autant avoir affaire à ce genre de gaillard. Il suintait la méchanceté. Il y avait quelque chose de dangereux dans sa façon d'être, sur le qui-vive et complètement impavide.

L'homme entendit ou vit quelque chose et lança quelques mots à travers la porte ouverte. Un instant plus tard, deux hommes apparurent : un jeune, l'autre âgé, avec une épaisse tignasse de cheveux blancs. Tous deux étaient armés, et le plus jeune tendit un revolver au moustachu.

Alice marmonna quelque chose à la vue des armes, puis Joel et Chris émergèrent avec fracas de la jungle, à l'autre bout du camp.

Le chien aboya à nouveau. Le moustachu lui hurla dessus et la pauvre bête alla se terrer contre le bâtiment.

Joel leva la main pour les saluer et lança gaiement :

— *¡Hola ! ¡Buenos dias !* Pouvez-vous nous aider ?

— Bonjour, fit Chris avec un signe de la main.

Le jeune rit, incrédule. Le plus vieux retourna à l'intérieur. Le moustachu continua de les observer sans ciller. Avant que Joel et Chris ne soient parvenus à leur hauteur, trois autres hommes émergèrent du bâtiment. Aucun n'était armé, ce qui, au moins, suggérait qu'ils ne considéraient pas les nouveaux venus comme une menace.

Joel reprit la parole lorsqu'il fut proche d'eux, mais Tom n'entendit pas distinctement ce qu'il disait ; il reconnut toutefois son ton légèrement autoritaire. Chris ajoutait quelques commentaires en pointant du doigt les arbres derrière eux. Il surjouait son rôle.

À l'évidence, ils perdaient leur temps. Le moustachu resta de marbre, puis prit l'air amusé. Il dit quelque chose aux autres hommes, qui se mirent à rire. Joel rit aussi, ne se rendant pas compte qu'on se moquait de lui, et que cette moquerie était teintée de menace.

Le moustachu désigna leurs sacs à dos en haussant un sourcil interrogateur, et Joel lui remit le sien. Chris fit de même et deux hommes entreprirent de les fouiller.

Joel tendit la main vers son sac comme pour tenter d'expliquer quelque chose. Peut-être avait-il bougé trop vite, ou que le moustachu en avait assez, mais, visiblement, il avait commis une erreur. L'homme le frappa du dos de la main à une vitesse incroyable.

Alice jura à nouveau, tandis que Nick gémissait « Non, non, non », comme si le fait de le répéter avait le pouvoir d'annuler la scène. Chris recula, sous le choc, mais cela ne fit que précipiter les choses. Le moustachu, qui était sans aucun doute le chef, aboya un ordre. Les autres lâchèrent les sacs et se saisirent de Joel et Chris.

Paniqué, Chris hurla :

— Mais dis quelque chose, Joel !

Si ce dernier répondit, ils ne l'entendirent pas de leur cachette, et cela n'eut aucun effet.

Les deux garçons furent poussés à coups de pied et de coude jusqu'à la grange. Puis un seul homme en ressortit juste après.

Quelques minutes s'écoulèrent dans un silence complet. Tom tendait l'oreille, même s'il n'avait pas très envie d'entendre ce qui se passait là-dedans.

Puis la porte se rouvrit et les deux autres hommes en émergèrent en riant. Que signifiaient ces rires ? Que pouvaient-ils révéler du sort qu'avaient subi Joel et Chris ? L'espace d'un instant, Tom les imagina morts tous les deux, assassinés froidement. Une mort pas moins aléatoire et rapide que la morsure de vipère qui avait eu raison de Toby.

Le moustachu dit quelque chose au jeune et ils eurent une brève discussion avant que le jeune retourne à la grange. Il en ressortit avec une petite caisse sur laquelle il s'assit après avoir refermé la porte. Il était de corvée de garde, pensa Tom avec soulagement. Ils étaient donc encore en vie.

Les autres emportèrent les sacs à dos dans la baraque et le calme retomba sur le camp. Ils étaient vivants. Il fallait se raccrocher à ça. Mais ils étaient prisonniers, ce qui compliquait les choses pour décider d'un plan.

Tom consulta sa montre, puis fit signe à Alice de se replier à une distance plus sûre. Il ne prit pas la peine d'en informer Nick, se disant qu'il serait assez intelligent pour les suivre.

Une fois éloignés, Alice prit la parole.

— Je le savais. Qu'est-ce qu'on fait maintenant ?

Même s'il avait été tout aussi certain qu'Alice de la tournure des événements, Tom n'avait pas réfléchi une seconde à quoi faire après. S'ils ne pouvaient pas les sauver, ils ne pouvaient pas non plus les abandonner…

— Ils ne s'échapperont pas, s'écria Alice avant de s'énerver, furieuse contre Joel, Chris et elle-même. Quelle stupidité ! Quelle initiative débile !

— Joel a dit qu'ils n'étaient pas lourdement armés, ce n'est pas l'impression que j'ai eue, souffla Nick, la lèvre tremblante. On se casse.

Comme pour se défendre, il ajouta :

— Tu l'as dit toi-même, Tom, il va bientôt faire nuit. Il faut penser aux autres. Si on rentre au camp, on pourra demander de l'aide, tout seuls on ne peut rien.

— Tu penses qu'on devrait les laisser ? l'interrogea Tom. Ce sont tes amis.

— Tu es injuste. Cela n'a rien à voir.

— Je n'abandonnerai pas Chris, martela Alice. Je ne peux pas.

Elle résistait face à sa propre impuissance, déterminée à trouver un moyen, à ne pas avoir à expliquer à la famille de Chris pourquoi elle avait dû l'abandonner. Plus tôt, Tom avait songé que rien ne devrait arriver à Alice. Pourtant, c'était ce qui était en train de se produire. Perdre Chris serait un traumatisme pour elle, autant que d'être grièvement blessée elle-même. Cela ne fit que redoubler sa résolution.

— Il fera nuit dans moins d'une heure, alors de toute façon, on ne pourra pas rentrer de jour. On retourne où on était et on regarde ce qui se passe. Le garde finira peut-être par s'absenter. On ne fera rien qui puisse nous mettre en danger, précisa-t-il à Nick, pris de panique, la question ne se pose pas. Tout ce que je dis, c'est qu'on attend de voir comment ça tourne. D'accord ?

Au bout d'un temps qui sembla interminable, Nick hocha la tête. Tom se tourna vers Alice, qui acquiesça à son tour, soulagée de ne pas avoir été forcée d'accepter l'inacceptable.

— Bien, conclut Tom, conscient que son assurance et son sang-froid n'étaient que de façade.

Chapitre 38

Pendant un bon moment, il ne se passa pas grand-chose. Le son nasillard de la radio continuait de résonner dans le baraquement, accompagné de rires et de voix. Une odeur de viande venait les titiller et leur rappeler combien ils avaient faim.

Mais cet air de normalité ne faisait qu'accentuer le malaise. L'atmosphère semblait fluctuante, et l'humeur des hommes de plus en plus instable, comme si la violence pouvait exploser à tout instant.

L'un d'eux apporta une assiette et une bouteille de bière au jeune qui gardait la grange. Tom, Alice et Nick le regardèrent manger. Une fois qu'il eut terminé, il se leva et jeta ses restes par terre, pour le chien, avant de rapporter l'assiette au baraquement.

On entendit des cris et le jeune réapparut, furieux. Il avait dû se faire engueuler. L'humeur à l'intérieur commençait à dégénérer. Le garde retourna s'asseoir sur sa caisse, pitoyable.

Tom l'étudia. Il ne devait pas être beaucoup plus âgé qu'eux. Il avait un physique de soldat, le teint olivâtre et des cheveux noirs et brillants. Il tenait son pistolet d'une façon qui dénotait une longue pratique des armes.

Même si tous les autres buvaient jusqu'à tomber ivres morts, Tom doutait fort de parvenir à maîtriser le garde. Et vu la manière dont il s'était fait réprimander pour avoir quitté son poste, il semblait de plus en plus évident qu'aucune opportunité ne se présenterait. Tôt ou tard, ils allaient devoir accepter qu'ils n'avaient d'autre choix que d'abandonner Joel et Chris. Et d'espérer.

Le temps fila, sans événement notable. Nick devint de plus en plus agité.

— Ça sert à rien. Ils sont sûrement déjà morts.

— On ne poste pas de garde pour des morts.

— Et de toute façon, on reste, trancha Alice. Toutefois, sens-toi libre de rentrer quand tu veux.

— C'est pas ce que je dis. Mais... on ne peut pas rester assis là indéfiniment.

Là-dessus, Tom ne pouvait pas le contredire.

— Ils pensent que Chris et Joel sont seuls, ils n'attendent personne d'autre. Il faudra bien qu'ils dorment à un moment donné.

Le silence retomba entre eux, et ils restèrent ainsi jusqu'au crépuscule. Comme toujours, cela s'accompagnait d'un changement subtil dans le paysage sonore de la jungle et de l'augmentation immédiate du nombre de moustiques.

Une lumière s'alluma dans le baraquement, quelqu'un ferma la porte, mais dans l'obscurité, les voix tapageuses et alcoolisées qui s'en échappaient leur parvenaient de façon toujours aussi nette. Le garde entra dans la grange et en ressortit presque immédiatement avec une lanterne qu'il posa à ses pieds sur le sol. En quelques secondes, les papillons de nuit surgirent des ténèbres et vinrent s'écraser dessus.

Le raffut dans le baraquement atteignit son apogée, puis baissa brusquement, et la porte s'ouvrit. Deux hommes en sortirent, dont le moustachu. Tous deux titubaient.

Le moustachu dévorait un énorme morceau de viande, un demi-poulet, semblait-il, et il provoqua le chien en tenant la carcasse hors de sa portée. Puis il la laissa tomber par terre, plié de rire, tandis que le chien tirait vainement sur sa chaîne pour l'atteindre.

Les deux hommes se dirigèrent vers la grange, s'adressèrent au jeune garde, et Tom sentit une boule d'énergie se former dans son ventre. Ça ne sentait pas bon. Quoi qu'ils puissent avoir à l'esprit, ils avaient l'air dopés à l'alcool et à la cruauté.

Le garde se leva, le moustachu rit et lui caressa la joue. Le garde repoussa sa main et partit vers le baraquement.

L'autre homme ramassa la lanterne, puis le moustachu et lui entrèrent dans la grange.

— Je n'aime pas ça, Tom. Je n'aime pas ça du tout, souffla Alice.

Tom l'entendit à peine. Il regarda le contour lumineux des portes du baraquement et de la grange, puis le chien qui essayait d'attraper la carcasse. Différents bruits lui parvenaient : la chaîne du chien, les murmures de Nick et d'Alice, le bruissement incessant de la jungle, le silence troublant de la grange…

Quelque chose de terrible était en train de s'y produire, du fait de ces deux hommes, et il n'y avait plus une seconde à perdre. Il avait dit à plusieurs reprises qu'il ne laisserait personne d'autre mourir. C'était facile à dire, immature, mais le moment était venu de traduire ses paroles en actes.

Chapitre 39

Dans l'obscurité, il tira son sac à dos vers lui. L'adrénaline se déversa instantanément dans ses veines,
à tel point qu'il lui fallut agripper quelque chose
pour que ses mains cessent de trembler. Il sortit les pistolets lance-fusée, les chargea et parvint à les glisser dans sa
ceinture malgré ses doigts maladroits. Puis il saisit sa lance-
harpon.

— S'il arrive quoi que ce soit, retournez au camp,
emportez les canots jusqu'à la rivière et filez.

Il se leva.

— Non, attends…, protesta Alice.

— Tu m'as entendu. S'il le faut, filez.

Puis il s'élança dans les sous-bois à toute vitesse, réfléchissant à différentes idées, différentes possibilités, aux
choses qu'il pouvait faire, à celles qu'il allait devoir faire.
Lorsqu'il atteignit le camp, ses pensées se cristallisèrent soudain, sa nervosité disparut et il sentit une étrange sensation
de paix l'envahir.

Le chien fut le premier à le voir. Il recula, grogna, puis
laissa échapper un aboiement incertain qui fut noyé dans
le bruit ambiant. Il fallait que Tom le délivre. C'était aussi

important que tout le reste. Ce chien n'avait fait de mal à personne.

Il s'approcha en silence, ramassa la viande et la lui tendit. Le chien hésita, grognant toujours, puis s'avança et la lui arracha des mains. Tom s'approcha un peu plus et lui grattouilla le crâne jusqu'à atteindre sa chaîne. À peine détaché, le chien disparut dans l'ombre, son trophée dans la gueule.

Tom passa ensuite aux jerrycans. Il posa sa lance-harpon, ouvrit le premier et versa de l'essence le long du baraquement et sur la terrasse. Il courut en chercher un autre, en retira le bouchon et le coucha sur le flanc près de la porte. Le liquide se répandit en gargouillant sur toute la structure.

Il reprit sa lance et fonça à l'autre bout de la grange. À l'intérieur, il percevait les voix des deux hommes, enjouées, malveillantes, et crut entendre les supplications de Joel.

Il ne voulait pas écouter. Il espérait qu'il n'était pas trop tard. Il prit le premier pistolet lance-fusée à sa ceinture et visa les jerrycans restants. La fusée fila en tournoyant à travers l'obscurité avec un bruit de papier qu'on déchire.

Tom s'était attendu à une explosion, mais pas d'une telle ampleur. Elle fut instantanée, assourdissante : un souffle de lumière, de chaleur et d'air qui le firent tomber à la renverse. Le ciel s'emplit brièvement d'un éclair aveuglant et de débris. Le baraquement avait volé en éclats, désintégré.

Tom se redressa, à genoux, et s'aperçut qu'il tenait toujours sa lance. La porte de la grange s'ouvrit à la volée, le moustachu en sortit en trombe et se rua sur Tom.

Tom n'hésita pas. Le temps ralentit tandis que l'armoire à glace fondait sur lui. Il se força à se lever et, avant même d'être debout, plongea sa lance dans le ventre du moustachu, poussant plus fort lorsqu'il rencontra de la résistance, graisse, muscle et os. Tom sentit la sueur de l'homme, la bière et la viande dans son haleine.

Ils tournèrent l'un autour de l'autre, comme s'ils exécutaient une chorégraphie de danse de rue, puis le moustachu tomba sur le dos dans la poussière, l'extrémité de la lance ressortant sous ses côtes. Entraîné par son élan, Tom trébucha sur son corps et tout en essayant de retrouver l'équilibre, il récupéra l'autre pistolet lance-fusée.

Il vit Joel et Chris, les poignets attachés à une poutre au-dessus de leurs têtes. L'autre homme était à côté d'eux, une machette à la main, désorienté et paniqué.

Quand il aperçut le pistolet de Tom, il lâcha un flot rapide de paroles en espagnol et leva les bras en l'air. Tom tira. La fusée traversa la grange et explosa sur son ventre. L'homme hurla, bascula en arrière et s'égosilla encore quelques secondes tandis que Tom se précipitait à l'intérieur.

Chris avait un œil tuméfié. Le tee-shirt de Joel avait été déchiré et traînait par terre comme une serpillière. Ils parlaient tous les deux en même temps mais Tom, les oreilles encore assourdies, ne les entendait pas. Il courut prendre la machette du mort.

Il coupa les liens de Chris, puis ceux de Joel.

— Suivez-moi, leur dit-il.

Il songea à récupérer la lance de Barney, mais elle était si profondément enfoncée dans le cadavre et si trempée de sang qu'il préféra renoncer.

Aveuglé par les flammes qui dévoraient le baraquement, il tourna la tête et scruta l'obscurité. Bientôt, il repéra le faisceau d'une torche, un point minuscule dans l'immensité de la jungle.

Il partit dans cette direction, vaguement conscient que Chris et Joel couraient à sa suite. Enfin, le pinceau lumineux bougea et avança vers eux, et ils faillirent se rentrer dedans.

Chris tirait toujours sur les restes de corde à ses poignets. Il bafouillait, hagard.

— C'est pas possible, c'est pas possible, c'était... Qu'est-ce qu'ils allaient nous faire ?

— La ferme, Chris ! s'exclama Joel qui était resté silencieux jusque-là.

— Il a déchiré ton tee-shirt ! poursuivit Chris en se tournant vers Nick, qui avait l'air aussi choqué que s'il avait été dans la grange lui aussi. Ils étaient... Ça craignait. Si Tom n'était pas venu... Merci, merci mille fois. Ils étaient tellement bizarres.

— Chris, la ferme ! répéta Joel avec plus de force.

— C'est vrai, tu sais que c'est vrai.

— Christian, dit Alice.

Elle avait employé son prénom entier, pour le rassurer cette fois. Il se tourna vers elle et elle l'enlaça, ce qui le calma aussitôt.

— Je suis désolé, dit Nick à Tom. Pour ce que j'ai dit tout à l'heure.

— Ça n'a pas d'importance.

— Merci, lança à son tour Joel. Ce que tu viens de faire, c'était... héroïque.

Tom accepta ses remerciements. Pourtant, il était loin de se sentir comme un héros. Il se retourna et contempla le camp en flammes, tentant d'assumer le fait qu'il venait de causer la mort d'au moins une demi-douzaine de personnes. Les deux qu'il avait tuées directement lui paraissaient à peine réelles, mais il ne cessait de penser au garde qui avait presque leur âge. Il n'avait pas eu le choix. Pour autant, il ne parvenait pas à s'imaginer qu'il avait mis un terme à la vie de cet adolescent.

Il perçut du mouvement dans les ombres entre eux et le camp. Il se raidit, empoigna plus fermement la machette. Puis il se détendit lorsqu'il vit le chien trottiner d'un pas léger vers lui. Il remuait la queue et poussa du museau la jambe de Tom, qui lui grattouilla la tête. Au moins, il avait sauvé le chien. Il ne savait pas pourquoi, mais c'était important pour lui.

Chapitre 40

Ils retournèrent à l'endroit où étaient leurs sacs à dos et Nick donna un tee-shirt à Joel. Celui-ci paraissait diminué après l'épreuve qu'il venait de traverser. Tom ôta son tee-shirt trempé de sang et en prit un autre dans ses affaires.

Alice surveillait Chris du coin de l'œil, pour s'assurer qu'il allait bien. Elle avait gagné en détermination.

— N'utilisons qu'une torche à la fois, pour économiser les piles, suggéra-t-elle. La rivière est par là, et les collines là-bas, alors si on va plus ou moins dans cette direction, le troisième côté du triangle dont parlait Joel, on ne pourra pas se perdre sans tomber d'abord sur la rivière. D'accord ?

— D'accord, répondit Nick.

— Je prends la torche. Tom, tu as la machette, alors on ouvre la marche tous les deux.

— Je vais porter ton sac, Alice, proposa Chris.

Elle était sur le point de refuser, quand quelque chose dans ses yeux la fit changer d'avis.

— Je peux porter le tien, Tom, si ça ne te dérange pas, dit Joel.

Tom ne comprenait pas à quoi rimait tout cela, mais accepta.

Au moment de partir, Alice se tourna vers lui et le serra fort contre elle, sa tête contre la sienne.

— Merci. Merci, lui souffla-t-elle à l'oreille d'une voix émue.

Il sentit sa gorge se nouer, peut-être parce qu'il ne se souvenait pas d'avoir jamais été l'objet de pareille gratitude. En fait, à la réflexion, il ne pensait pas avoir un jour accompli une action qui revêtît une telle importance pour une autre personne.

— Et toi ? lui demanda-t-elle en s'écartant de lui. Ça va ?

— Ça va. Je viens de tuer un tas de gens, mais ça va.

— Tu as fait ce que tu avais à faire, et tu as sauvé deux personnes.

— Et un chien.

Elle rit.

— Et un chien.

Ils s'enfoncèrent dans la jungle, accompagnés de leur nouvel animal de compagnie, qui s'éloignait parfois pour pister des odeurs et des sons qu'ils ne pouvaient pas détecter. D'autres fois, il grognait avant de revenir vers eux.

Seul Chris fit une allusion à ce qui s'était passé.

— Vous croyez qu'ils vont nous poursuivre ? Les autres types, ceux qui étaient partis ?

— J'en doute, répondit Alice. Même s'ils ont entendu l'explosion, ils auront probablement cru que c'étaient des soldats ou un autre gang. Vu leur chargement, ça m'étonnerait qu'ils prennent le risque de faire demi-tour.

— Ils ne sauraient pas où nous trouver, de toute façon, ajouta Joel.

Sa voix semblait avoir retrouvé sa confiance et son autorité.

La végétation s'épaissit et ils progressèrent plus lentement.

Tom était sur le point de suggérer de retourner sur leurs pas pour trouver un autre sentier lorsque Alice leva l'index.

— Attends, éclaire un peu là-haut, sur la droite. Ce n'est pas le promontoire sur lequel on était ce matin ?

— Peut-être.

Ils redoublèrent d'efforts, le chien aboya une fois, peut-être parce qu'il avait décelé le changement d'humeur. Quand enfin ils l'atteignirent, Tom le reconnut de façon certaine, même dans le noir, et ils retrouvèrent le chemin qu'ils avaient tracé et piétiné à l'aller.

À présent qu'ils savaient où ils étaient, ils s'arrêtèrent dix minutes pour se désaltérer, laissant le chien explorer les environs. Personne ne prononça le moindre mot.

Tom avait recouvré sa sérénité. Il ne s'en était pas aperçu jusque-là, mais il n'avait pas encore réussi à se détendre depuis son départ du laboratoire clandestin.

La voix de Joel flotta dans le noir.

— N'en disons pas trop sur ce qui s'est passé ce soir. Ça risquerait d'en chambouler certains.

— Tu veux dire que ce n'est pas la peine de leur dire que tu as merdé ?

— On n'a pas merdé, rétorqua Joel. On a pris un risque, dans l'intérêt de tous, et ça n'a pas payé, mais ça ne veut pas dire que nous avons eu tort de le prendre.

— Je ne vois pas les choses comme ça, Joel. Personnellement, je pense que c'est le truc le plus stupide que tu aies fait. C'est dire.

Joel mit un petit moment à répondre.

— Tout ce que j'ai fait depuis la minute où on s'est écrasés, c'est essayer d'aider tout le monde. Et c'est exactement ce qu'on faisait, Chris et moi, quand on est entrés dans ce camp. Je trouve seulement que c'est inutile de traumatiser les autres en racontant l'histoire en détail.

— Très bien, répliqua Alice, furieuse.

Il y eut une autre pause, et Tom devina que Joel attendait une réponse de sa part.

— Ça m'est égal. Mais on devrait y aller.

Ils reprirent leur marche. Leur silence n'était plus le même à présent, car ils s'étaient de nouveau séparés en deux groupes. Tom s'étonnait de constater que Joel avait retrouvé son assurance et son désir d'être considéré comme celui qui prenait toutes les grandes décisions.

Peu importait. Si les événements de la soirée n'avaient pas ouvert les yeux à Joel, rien n'y parviendrait jamais.

Chapitre 41

Le chien atteignit le campement avant eux, ce qui fit crier l'une des filles, avant de provoquer l'effervescence générale.

— C'est Joel avec les autres ! s'écria Mila.

Le temps qu'ils descendent jusqu'à la plage, ils étaient tous debout. Les retrouvailles furent chaotiques et bruyantes. Lara prit Alice dans ses bras, quelques autres s'agglutinèrent autour de Joel, de Nick et de Chris. Kate étreignit Tom avant de laisser échapper un petit rire.

Shen, Barney et George approchèrent.

— Je savais que tu reviendrais, dit George.

— J'ai perdu ta lance, Barney.

— Mais tu as gagné une machette. Et un chien.

— Oui !

L'animal tournait tout autour du campement comme un fou, on aurait dit qu'il était sur une piste. Lorsqu'il passa devant l'infirmerie de fortune, Tom demanda :

— Comment va Chloé ?

— Mieux, lui répondit Shen. Le plus dur est passé.

Puis Tom sourit en entendant Chris pérorer devant Oscar et Sandeep, au mépris des consignes de Joel.

— Un truc de fou. Sérieux, Joel et moi, on était atta-chés. Je veux même pas savoir ce qu'ils s'apprêtaient à nous faire. Et puis là Tom a débarqué comme Vin Diesel et il les a tous descendus. Sérieux, il a explosé le mec avec son pisto-let lance-fusée sous nos yeux. C'était… (Lorsqu'il s'aperçut que tout le monde l'écoutait, il s'interrompit net et regarda Joel.) Désolé.

Joel secoua la tête, signifiant par là que ce n'était pas grave, mais maintenant, tout le monde dévisageait Tom.

— Tu as tué des gens ? s'écria Oscar, admiratif.

Dans le regard des autres, l'horreur le disputait à la fasci-nation. Cela déplut à Tom. Lui qui commençait tout juste à se sentir bien dans le groupe, voilà qu'il avait de nouveau le sentiment d'être une bête curieuse.

— Ça ne s'est pas passé comme ça, intervint Alice. Chris exagère, comme d'habitude.

— D'accord, peut-être un peu. Mais c'est moi qui avais dit que l'avion allait s'écraser.

Cela provoqua des rires, des moqueries joyeuses, que Chris encaissa vaillamment afin de faire oublier les révé-lations qu'il venait de faire. À l'évidence, personne ne fut dupe.

— En ce qui concerne la nourriture, on en est où ? demanda Tom pour changer de sujet.

— Il nous a fallu un moment pour développer une technique, répondit Shen, mais Kate a réussi à attraper deux poissons. On les a fait cuire cet après-midi. Elle pense qu'on en attrapera plus demain.

— C'est évident, intervint George. Maintenant qu'on sait comment faire. Elle est douée. Et on a de la chance qu'il n'y ait ni anacondas ni caïmans dans le coin, parce que ça grouille de poissons.

— Comment vous savez qu'il n'y en a pas ?

— On n'en est pas certains, mais on a été là tout l'après-midi et aucun serpent de dix mètres ou de reptile en forme d'alligator ne nous a sauté dessus ! plaisanta George.

Redevenu sérieux, il étudia Tom un moment avant de poser la question fatidique.

— Qu'est-ce qui s'est vraiment passé là-bas ?

Kate s'approcha tandis que Tom entamait son explication.

— À peu de chose près, ce que Chris a raconté. C'était un laboratoire clandestin de cocaïne, appartenant à un cartel de drogue, ou à des rebelles. Joel a cru que Chris et lui allaient pouvoir y débarquer en prétendant s'être perdus. Alice a tenté en vain de l'en dissuader.

— Et c'est quoi, cette histoire, que tu aurais flingué tout le monde ?

Tom repensa au jeune garde donnant les restes de son repas au chien, ou essayant de jouer les durs devant les plus âgés. Il repensa aussi à l'homme aux cheveux blancs et se demanda s'il n'était pas le cuisinier. Au fond, quelle importance puisqu'ils étaient tous morts ?

— Ça ne s'est pas tout à fait passé comme Chris l'a dit. J'ai fait exploser le baraquement avec cinq ou six personnes à l'intérieur. Les deux autres étaient dans la grange, où ils avaient attaché Chris et Joel. L'un a pratiquement foncé sur la lance. L'autre, je lui ai tiré dessus avec le pistolet lance-fusée.

— Waouh !

— Oui, waouh. Je n'ai pas vraiment réfléchi sur le coup. Je n'avais pas le choix.

George avait le même regard qu'Oscar et les autres un peu plus tôt, un mélange de fascination et d'admiration, mais lui parvint à mettre des mots dessus.

— On se demande tous ce qu'on aurait fait dans la même situation. J'aimerais me dire que j'aurais agi comme toi, mais qui sait ?

Une fois de plus, Tom fut frappé par le fait qu'on le considérait comme un héros, alors qu'il n'avait pas du tout ce sentiment.

— La vérité, c'est que je ne suis même pas sûr que je le referais. Impossible de le savoir, jusqu'à ce que ça arrive.

— Non, Tom, objecta Kate. Si la situation se représentait, je suis certaine que tu le referais. Tu ne le sais peut-être pas, mais c'est celui que tu es. Elle esquissa un sourire malicieux. Je veux dire que si tu as pu le faire pour Joel, tu le ferais pour n'importe qui.

Ils en restèrent là et, petit à petit, le camp retrouva son calme. La seule vraie différence, c'était le chien, qui cherchait des caresses auprès de chacun mais finissait toujours par se rasseoir près de Tom. Il était heureux de l'avoir, car malgré toutes les horreurs qu'il avait commises ce soir, l'animal lui rappelait qu'il avait tout de même accompli une bonne action.

Chapitre 42

Tom fut réveillé à l'aube par un grognement. Il ouvrit les yeux sous le même ciel taché d'orange. Le chien aboya puis grogna à nouveau, et une des filles demanda, à moitié endormie :

— Pourquoi il aboie ?

Craignant la visite des narcotrafiquants, Tom se leva d'un bond. Mais le chien faisait face à la rivière : il courait en grognant vers l'eau, puis battait en retraite.

Sa première pensée fut qu'il y avait quelque chose dans la rivière, un caïman ou un anaconda. Il s'approcha, ne vit rien. En fait, le chien semblait concentré sur l'autre rive. Tom se frotta les yeux et scruta la berge, en vain.

L'animal se calma et vint près de lui. Tom lui caressa la tête, puis le chien repartit très vite en aboyant.

— Après quoi il aboie, Tom ? demanda Kate qui venait de le rejoindre.

— Il a eu peur de quelque chose, on dirait. Peut-être un jaguar…

— Eh ben, je préfère un chien effrayé qu'un jaguar…

— Est-ce que je viens d'entendre un chien aboyer ?

C'était Chloé, assise sur son lit entouré de moustiquaires de l'autre côté du feu. Quelques ados allèrent la voir, ravis qu'elle aille mieux.

Le chien paraissait détendu à présent, mais Tom continua d'observer la rive opposée. Qu'avait-il pu repérer ? Il n'abandonna ses recherches que lorsqu'il entendit Joel en plein discours de motivation.

— OK, tout le monde, faisons en sorte de passer une bonne journée, pour avoir l'occasion de récupérer, et demain on franchira la colline et on mettra les canots à l'eau.

Tom s'amusa du besoin qu'avait Joel de s'approprier leur sauvetage. À l'entendre, les événements de la veille n'avaient pas eu lieu. Peut-être était-il déjà parvenu à les effacer de son esprit.

Le vrai prix de la stupidité de Joel, comme d'habitude, avait été payé par les autres, en l'occurrence Tom, qui avait tué des êtres humains. Il se souvenait si nettement de ces visages, et il avait la sensation désagréable qu'il ne les oublierait jamais. Les deux hommes dans la grange, le vieil homme aux cheveux blancs, le jeune garde.

Tout le monde était agglutiné autour du feu. Chloé se tenait debout, appuyée sur Barney et Mila. Elle paraissait bien plus en forme.

Tous discutaient de façon animée. Leur groupe était aussi soudé qu'après le crash. Tom, sur la berge avec le chien, se sentit plus loin d'eux que jamais.

Soudain, il s'aperçut qu'Alice l'observait. Lorsque leurs regards se croisèrent, elle sourit et laissa échapper un petit rire. Elle devait trouver amusant de le voir encore se tenir à l'écart. Tom lui sourit, convaincu d'une chose : la période où il était un étranger était révolue. Il avait tissé des liens, peut-être même faisait-il partie d'un grand puzzle.

Comme pour le prouver, Kate s'approcha de lui.

— On va avoir besoin de deux personnes pour monter la garde pendant que George et moi serons à la pêche. Ça demande beaucoup de concentration, alors quelqu'un d'autre doit faire gaffe aux prédateurs.

— C'est dans mes cordes.

— C'est bien ce que je pensais. Avec un peu de chance, tout le monde en aura marre de manger du poisson d'ici la fin de la journée.

— Où est-ce que tu les as attrapés hier ?

— Suis-moi, je vais te montrer.

Et c'est ainsi que Tom réintégra le groupe, puis la journée se déroula comme une journée ordinaire. Kate et George étaient doués pour la pêche, l'un rabattant les poissons vers l'autre, qui tenait le filet.

La majeure partie du groupe finit par les regarder, les acclamant à chaque nouvelle prise. Seul Chris resta à l'écart, assis, la mine sombre, auprès de Chloé.

Peu de temps avant que le soleil n'aille se coucher quelque part derrière cette opaque brume orangée, Shen embrocha les poissons sur l'une des perches et entreprit de les faire cuire. Tout le monde s'installa autour du feu, y compris le chien. Soudain, l'animal se tendit et se tourna vers la rivière en grognant.

Tom se leva et le chien le prit comme un signal : il bondit en avant en aboyant de façon agressive.

Le groupe se fit silencieux.

— Qu'est-ce qui se passe, Tom ? demanda Chris.

Tom fit signe qu'il n'en savait rien, mais le chien grognait toujours, les yeux rivés sur la même portion de végétation que le matin. Tom ramassa un caillou et le lança en visant le point que fixait le chien. Brièvement, il y eut un éclair de couleur et de mouvement. Quelque chose s'enfuyait dans les profondeurs de la jungle.

— Tu as vu quelque chose ?

— Pas vraiment. Peut-être un fauve.

— C'est super d'avoir un chien, dit Chloé à la cantonade.

L'animal retourna près du feu, ce qui suffit à convaincre Tom que la menace était écartée. Il reprit sa place, lui aussi, mais sentait qu'il était temps pour eux de se remettre en route. Le mystérieux observateur sur l'autre rive n'était qu'une indication de plus signifiant qu'ils n'étaient pas dans leur environnement, qu'ils n'étaient pas censés être là.

La nuit tomba presque sans qu'ils s'en aperçoivent.

— Je suis contente qu'il fasse nuit, dit Mila au bout d'un moment. Ce ciel orange me fait flipper.

— Moi aussi, renchérit Emma. Vous croyez que quelque chose d'important est arrivé ? Je veux dire, les gens que vous avez vus dans le camp, est-ce qu'ils agissaient normalement ?

— Je crois, répondit Alice. Je n'ai pas eu l'occasion de rencontrer beaucoup de producteurs de cocaïne avant ça.

La remarque provoqua quelques rires.

— Tout ça me paraît un peu bizarre, insista Emma.

Soudain, le tonnerre gronda au loin, et l'humeur s'assombrit. Car cette menace de tempête leur rappelait qu'ils voyageaient sur une terre inconnue, sans aucune idée de la distance qui les séparait de chez eux.

Joel mit un point d'honneur à prendre le premier tour de garde, ce qui permit à Tom de dormir. Alors qu'il sombrait dans le sommeil, il entendit les roulements du tonnerre, tel le fracas d'une bataille lointaine.

Chapitre 43

À l'instant où il se réveilla, Tom tendit sa montre vers la lumière du feu. Il était quatre heures du matin, le soleil ne se lèverait pas avant deux heures. Curieusement, il n'était pas le seul à s'être réveillé : un peu plus loin, Shen, assis sur son sac, observait le ciel.

Tom comprit pourquoi lorsque d'un seul coup, la nuit s'illumina. La jungle parut se rapprocher d'eux, avant d'être renvoyée dans les ténèbres. Tom attendit le coup de tonnerre, mais il ne vint pas.

— C'est comme ça depuis une heure, lui expliqua Shen. Je n'ai entendu aucun coup de tonnerre, mais on dirait un ciel d'orage, et la rivière fait un raffut du diable.

— Seulement plus de raffut, ou est-ce que le niveau a monté aussi ?

— Je n'avais pas pensé à ça.

Shen attrapa sa torche et fila en direction de l'eau, suivi par Tom. La rivière était effectivement pleine de remous.

— Il doit beaucoup pleuvoir en haut des collines, dit Shen d'un air préoccupé.

Ils longèrent la berge jusqu'à l'entrée de la gorge en gardant le faisceau lumineux sur l'eau. Des vaguelettes étaient déjà en train de laper la paroi.

— Je savais que c'était une erreur, dit Shen presque pour lui-même.

Il parlait de la décision d'établir un campement à cet endroit. S'ils étaient partis la veille, ça n'aurait pourtant pas été une erreur du tout. Ils en auraient même gardé le souvenir d'un lieu idyllique, idéal pour se reposer et attraper du poisson.

— Il faut évacuer la plage, déclara Tom. Réveille tout le monde.

Shen s'exécuta aussitôt.

Des grommellements et des gémissements accueillirent la nouvelle, mais certains se levaient déjà en demandant ce qui se passait.

— Il ne pleut pas ici, mais il pleut dans les collines, et sauf erreur de ma part, la plage ne va pas tarder à être inondée.

Après ça, Shen eut l'attention de tout le monde et une dizaine de faisceaux de torches se mirent à danser à travers tout le campement, accompagnés joyeusement par le chien, qui alla vite retrouver Tom, lequel écoutait toujours attentivement la rivière, empli d'inquiétude.

— Shen, mon pote, tu es sûr de ce que tu avances ? entendit-il Joel protester.

La nuit s'illumina et révéla de minuscules cours d'eau qui s'étaient formés au-dessus de la plage. Tom parcourut le campement du regard. On aurait dit un tableau, une masse confuse de corps, de sacs à dos et de mouvements maladroits.

Et puis, par-delà leurs bavardages, par-delà le vacarme de l'eau à côté de lui, par-delà la jungle elle-même, il perçut un son, comme un avion au loin, et il se demanda durant une fraction de seconde si leur appareil avait fait le même bruit lors de sa descente finale dans la jungle. Mais ce n'était pas un avion. Et ça venait vers lui. Soudain, en un instant terrifiant, il comprit.

— Hé ! Partez tous ! Maintenant !

Le chien aboya et Tom courut, ramassant son sac et sa machette d'une main, puis la poignée de l'une des caisses à canot de l'autre. Le bruit était assourdissant à présent, à ses oreilles tout du moins. Un mur d'eau fonçait sur eux.

Sa précipitation fut contagieuse, et l'agitation de ses camarades s'intensifia.

Tom entendit le feu siffler. Il se retourna et vit les flammes s'éteindre, noyées par l'eau.

— Barney, non ! cria une fille.

Celui-ci répondit d'un peu plus bas :

— Tout va bien !

La nuit s'illumina de nouveau et Tom aperçut Barney qui courait, de l'eau jusqu'à mi-mollet, vers l'autre caisse à canot. Une prise de risque nécessaire : ils avaient besoin des deux embarcations.

Jetant son sac et sa machette, il fila rejoindre Barney. Tom vit que George avait fait demi-tour lui aussi. Les trois garçons agrippèrent la caisse en même temps et entreprirent de la tirer en hauteur.

Une autre vague déferla, atteignant les genoux de Tom. La pression du courant était telle que Barney trébucha. Rapide comme l'éclair, George lui agrippa la main pour l'aider à retrouver l'équilibre.

Tous les trois tiraient de toutes leurs forces, mais le courant était contre eux. Le rugissement en amont suggérait que le pire était encore à venir…

Une nouvelle vague arriva avec une telle puissance que Tom ne put que planter les pieds au sol et espérer tenir bon. Au bout d'un moment, ils purent de nouveau avancer et, cette fois, ils atteignirent la rive. Les faisceaux de lumière dansèrent de plus belle tandis que des mains les aidaient à se hisser tous les trois, ainsi que le canot, à l'abri.

Ils étaient encore en train de reprendre leur souffle lorsque le rugissement s'intensifia. Tout à coup, une déferlante vint s'écraser sur la plage en fer à cheval, ce qui fit reculer tout le monde d'un pas.

Il y eut un autre éclair et ils virent que l'eau avait englouti leur campement.

— Barney, dit Joel, ce que tu viens de faire, c'était complètement fou. C'était courageux, je te l'accorde, mais on aurait pu te perdre.

— On a besoin de ce canot, répondit Barney.

— Et comment, ajouta George. Félicitations, Barney. Sans lui, on aurait été mal barrés.

— Merci.

— Message reçu, s'exclama Joel d'un ton irrité. Bon, est-ce que tout le monde va bien ? (Un chœur de oui abattus lui répondit.) Quelqu'un a une idée de l'heure ?

— Quatre heures passées, répondit Tom.

— Bien. Il nous faudra une bonne heure de marche pour franchir la colline et atteindre l'autre partie de la rivière. Je propose qu'on aille jusqu'au promontoire qu'on a repéré.

— Quoi, dans le noir ? protesta Chloé ou Mila.

— Ça ne devrait pas poser de problème, on a déjà ouvert un chemin et on a nos torches, rétorqua Joel.

On pourra s'y reposer jusqu'à ce que le jour se lève, on aura moins de chemin à parcourir demain.

Personne ne discuta, car le plan semblait gravé dans le marbre. Pour une fois, Tom était même d'accord avec Joel, parce que le chemin était facile, qu'ils l'avaient déjà emprunté de nuit et qu'il valait mieux bouger.

— Avec tout ça, je me demande à quoi va ressembler la rivière de l'autre côté…, risqua Alice.

— À mon avis, cette partie est inondée parce que la gorge est étroite, répondit Shen. Si c'est plus ouvert de l'autre côté, la rivière ne sortira pas aussi facilement de son lit. Au pire, le courant sera plus fort, et ça nous aidera.

— Nous devons tenter le coup, de toute façon, ajouta Joel. La rivière est la seule solution réaliste pour nous tirer de là, on le sait depuis le départ.

Ils se mirent en route peu après. Toutes les cinq minutes, la jungle s'illuminait, donnant naissance à des ombres effrayantes.

Le temps qu'ils arrivent au promontoire, il ne restait probablement plus qu'une demi-heure d'obscurité, mais la pluie se mit à tomber. Cela provoqua un nouveau pic d'activité, car tout le monde cherchait son imperméable et essayait d'en trouver un pour Joel et Chris.

Quand le jour se leva, la teinte orange avait enfin disparu. La vue, du haut du promontoire, ne leur remonta guère le moral : la jungle semblait s'étendre à l'infini devant eux, détrempée et monotone, à l'exception de la rivière d'un brun boueux qui serpentait sur leur droite.

Quoi que les autres aient pu penser face à ce spectacle, Tom sentit en lui un frémissement d'énergie, une légère élévation de son taux d'adrénaline, un désir d'avancer et de mettre à l'épreuve ce plan qu'il avait imaginé pour sortir de la jungle.

Si cela fonctionnait, Joel s'en attribuerait le mérite, et ça ne dérangeait pas Tom plus que ça. En cas d'échec, cependant, il était sûr que certains rejetteraient la faute sur lui.

Chapitre 44

Pour cette dernière étape, ils marchèrent sous une pluie incessante qui s'infiltrait dans la jungle autour d'eux et formait de petits ruisseaux sur le sol. Au bout du compte, on aurait dit que c'était la rivière qui venait vers eux.

La berge était surélevée : ils ne virent donc pas l'eau avant d'être pratiquement dessus. Sans crier gare, le chien aboya furieusement et courut vers la rivière. Il y eut un bruit d'éclaboussure, du mouvement, et la silhouette caractéristique d'un caïman glissant sous la surface.

Tom scruta l'eau trouble pour voir s'il allait réapparaître. À côté de lui, Shen semblait se réjouir.

— C'est bon signe, parce que c'était une des plus petites espèces. C'est du caïman noir qu'il faut se méfier, et s'il y en avait ici, il aurait probablement mangé celui-là.

Joel s'approcha et lança un regard étrangement hostile à Tom, qui n'arrivait pas bien à comprendre pourquoi. Depuis son sauvetage au laboratoire clandestin de cocaïne, loin de paraître plus amical, Joel semblait lui en vouloir de plus en plus.

— Alors, c'est possible de mettre les canots à l'eau ? demanda-t-il à Shen.

Ils observèrent tous la rivière, le long de laquelle patrouillait le chien, à l'évidence dérouté par la disparition du reptile.

— Le courant est rapide, mais sans être réellement dangereux. C'est assez large, même s'il va falloir rester au milieu pour éviter de s'enliser. C'est là que les rames de Barney devraient être utiles.

— Super. Dans ce cas, sortez les canots des caisses, Barney et toi, et gonflez-les. (Il lança un nouveau regard à Tom avant de se tourner vers le reste du groupe.) Chris, Nick, Sandeep, Oscar, venez aider Shen et Barney avec les canots. Les autres, essayez d'alléger vos sacs à dos au maximum.

— Les canots seront assez grands, répliqua Shen, perplexe.

— Peu importe. Allez-y.

Alice rejoignit Tom.

— Il n'a demandé à aucune fille d'aider pour les canots, tu as remarqué ?

— Ni à moi.

— Probablement pour la même raison. Il a peur de toi et peur des filles.

Tom rit, puis ils regardèrent les caisses s'ouvrir pour la première fois. Les canots étaient jaunes, octogonaux, suffisamment grands, au point qu'il fallut les déplacer sur la berge, au ras de l'eau. En voyant ça, deux personnes remirent des affaires dans leurs sacs à dos.

Une fois les canots gonflés, Joel désigna plusieurs personnes.

— Bien, sur mon bateau, je prends Chris, Nick, Chloé, Mila, Oscar, Lara…

— Oh, je pensais être avec Alice, protesta Lara.

Joel lui répondit d'un ton de professeur d'école :

— Nous serons tous ensemble, de toute façon, alors peu importe dans quel canot tu es. Sandeep sera dans l'autre, et il ne se plaint pas, lui. On se fiche de savoir qui est ami avec qui.

Alice et Tom échangèrent un regard. C'était un mensonge, étant donné que Joel avait veillé à ce que tous ses amis soient sur son canot. Tous sauf un, en tout cas.

Sandeep avait l'air déçu de devoir aller dans le canot de Tom. Celui-ci s'interrogeait. Il pensait que Joel et lui étaient bons amis. Son père était golfeur professionnel et Sandeep avait gagné quelques coupes lui aussi.

Au fond, peut-être n'étaient-ils pas si proches. Quoi qu'il en soit, la composition des groupes convenait à Tom : il aurait fait le même choix. À l'exception de Lara, il y avait dans son canot toutes les personnes qui lui avaient demandé de partir avec lui.

— Bien, allons-y. Tous ceux qui sont avec moi…

Suivi de ses petits soldats, Joel donna ses instructions. Il semblait incroyablement impatient, et Tom se demanda s'il n'avait pas juste envie que son canot soit en tête. Deux minutes plus tard, ils étaient sur la rivière, entraînés par le courant.

— Restez bien au milieu ! leur cria Shen.

Joel fit un signe de la main, mais impossible de savoir s'il avait entendu. Puis le canot glissa hors de vue.

— Bon, dit George, maintenant qu'ils sont partis, retournons à l'avion et attendons les secours.

Ils commencèrent à déposer leurs affaires dans le canot en riant, puis le mirent à l'eau et grimpèrent à bord. Quelques paroles furent échangées, mais nul ne donna d'ordre ni ne prit les manettes. Et pourtant, la manœuvre fut exécutée aussi rapidement qu'avec Joel.

Le chien avait parcouru la berge en long et en large pendant tout ce temps, mais une fois à bord, il tituba comme un ivrogne, ce qui les fit rire à nouveau. George poussa le canot et sauta dedans avec grâce. Sandeep et Barney entreprirent de ramer.

L'embarcation était beaucoup plus robuste que Tom ne l'avait imaginé, les bords plus hauts. Elle avait été conçue pour voguer sur l'océan, pas sur une rivière. Il avait craint que sa forme octogonale ne la rende difficile à manœuvrer, qu'elle tournerait comme une toupie, or le courant était assez fort pour que Sandeep et Barney maintiennent aisément le cap avec leurs rames.

La rivière décrivait un léger coude, droit devant. L'autre canot avait déjà disparu de leur vue avant qu'ils n'embarquent, mais ils entendirent bientôt des voix et des rires.

Soudain, Barney se mit à ramer avec vigueur. Le canot de Joel s'était pris dans une racine et ils risquaient de lui rentrer dedans. Chris et Oscar s'employaient à le dégager.

— Des dégâts ? demanda Shen.

— Tout va bien, répondit Joel. On vous doublera au prochain méandre.

Kate se tourna vers les autres, incrédule.

— J'ai bien entendu, là ? Il croit que c'est une course ?

— Je suis sûr que ce n'est pas ce qu'il a voulu dire, répondit Shen. En tout cas, je l'espère, ajouta-t-il en regardant la rivière, calme et large, mais pleine de dangers sur les kilomètres à venir.

— On les attend ? proposa Sandeep.

Aussitôt, un « non ! » fusa de toutes les bouches, et il rit avant de reprendre sa rame pour maintenir le canot en place.

La rivière semblait constituée de longs tronçons plus ou moins rectilignes, ponctués de coudes peu prononcés, suffisamment nombreux toutefois pour que, dans l'heure qui suivit, ils n'aperçoivent pas une seule fois de canot de Joel.

La pluie cessa et l'humidité s'accentua. Ils retirèrent leurs imperméables et les entassèrent au fond du canot.

Des nuées de mouches et d'autres insectes bourdonnaient autour d'eux. La jungle, dense, immuable, bruissait de part de d'autre de la rivière, mais sur l'eau, un calme étrange régnait.

Le chien apprit peu à peu à tenir sur ses pattes et à se déplacer avec aisance. Il semblait captivé par les deux rives, comme si lui seul voyait les choses mystérieuses qui se dissimulaient dans la végétation luxuriante. Parfois, il aboyait, le museau pointé sur un endroit précis, et tous scrutaient la zone en vain avant de spéculer sur ce qu'il avait pu apercevoir.

Les nuages s'effilochèrent, des fragments de bleu apparurent, et en un clin d'œil, le ciel se dégagea et la chaleur devint torride. Ils devinrent sourds aux bruits de la jungle et voguèrent en silence.

Deux heures plus tard, Shen distribua une partie de ce qu'il leur restait comme boisson et comme nourriture. Ils savourèrent leurs derniers snacks et leurs dernières noix comme s'il s'agissait de mets de roi. Tom ouvrit son sachet de cookies, en garda un pour lui et donna l'autre au chien. Alice lui donna aussi quelque chose, puis d'autres à leur tour.

Le chien allait de l'un à l'autre avec des yeux si pleins de reconnaissance que c'en était comique.

— Eh bien, en voilà un qui ne mourra pas de faim, fit remarquer Tom en riant.

D'autres rires résonnèrent tout à coup derrière eux. C'était la première fois qu'ils avaient une indication que le canot de Joel les suivait.

— Quel soulagement ! souffla Alice.

— Je commençais à m'inquiéter, moi aussi, ajouta Jess.

— Joel n'est pas stupide, protesta Sandeep. J'admets qu'il peut être un peu chiant, mais il gagne à être connu. Son père est très dur avec lui, il le traite sans arrêt de bon à rien. C'est pour ça qu'il se donne à fond.

Tom pouvait parfaitement comprendre, et il eut un petit élan de sympathie pour Joel. Kate, en revanche, n'avait pas l'air convaincue.

— J'ai entendu ça, moi aussi, et à n'importe quel autre moment, j'aurais eu de la peine pour lui, mais ici, c'est nos vies qui sont en jeu.

— Il en a conscience, insista Sandeep. Il essaie de prendre soin de tout le monde.

Kate eut un rire amer.

— Comme il a pris soin de Naomi et de Freddie ? Oh, je suis désolée, Jess, je ne voulais pas...

— Ce n'est pas grave.

Ce qu'elle ajouta les surprit tous.

— Freddie aurait pu faire une pause quand il s'est senti mal. Joel ne cessait de nous dire quoi faire, mais aucun de nous n'était obligé de l'écouter. On aurait tous dû réagir davantage comme Tom.

— Non, protesta ce dernier, gêné. Je pense au contraire que certains auraient dû se comporter comme Joel. Il avait tellement envie d'être le chef qu'on l'a tous laissé faire. J'aurais pu l'en empêcher et je ne l'ai pas fait. Alice aurait pu, Shen, George, nous tous, ensemble. S'il a commis tant d'erreurs, c'est parce que aucun de nous ne voulait prendre la responsabilité du groupe.

— Pour que la stupidité triomphe, déclara Barney, il suffit que les personnes intelligentes se taisent.

— C'est super, comme citation ! s'exclama Kate. Qui a dit ça ?

— C'est moi. Enfin, je paraphrase un peu Edmund Burke.

Kate le fixa, stupéfaite. Encore une personne qui semblait voir Barney d'un œil nouveau.

— Tu ne veux pas que je te remplace un peu à la rame ? proposa-t-elle.

— Si tu veux.

— Moi aussi, je vais ramer, dit Emma en prenant la place de Sandeep.

Au cours de la demi-heure suivante, les deux filles ramèrent, le chien assis entre elles. Une fois de plus, tout était silencieux derrière eux, et même sur les portions les plus longues, Tom ne voyait aucune trace de l'autre canot.

Ils pénétrèrent dans une zone où le silence était différent. C'en était si déstabilisant qu'ils regardèrent tous autour d'eux, effrayés, comme s'ils s'attendaient à voir quelque chose, ou quelqu'un, les observer des profondeurs obscures de la végétation qui envahissait les rives.

C'est alors que le chien se mit à grogner.

Chapitre 45

Tourné en avant, la tête et la queue basses, le chien laissait échapper un grondement sourd et continu, presque comme un moteur de hors-bord. Tout le monde se regarda sans comprendre, car aucune menace n'était visible. Ils étaient tous trop inquiets pour en rire.

Puis le canot explosa.

Tom vola dans les airs et retomba dans la rivière. Ses vêtements, trempés, le tiraient vers le fond tandis que l'eau s'infiltrait dans son nez et ses oreilles.

Il refit surface, stupéfait de voir le canot intact. Tous ceux qui étaient encore à bord hurlaient. Il aperçut deux autres têtes dans l'eau, Emma et Sandeep, ainsi que le chien et un sac à dos.

Emma commença à nager vers le canot et attrapa le sac au passage.

— Laisse-le ! On s'en fiche ! lui cria Kate.

Mais elle l'emporta tout de même, peut-être parce qu'elle n'avait pas entendu, car ils parlaient tous en même temps et posaient des questions paniquées auxquelles personne ne répondait. Est-ce que ça pouvait être un caïman ? Shen et George avaient dit qu'il y avait peu de chances qu'ils s'attaquent aux canots. Ils avaient dit aussi qu'il était important que personne ne tombe dans la rivière, et Tom avait parfaitement conscience de tous les dangers qui se tapissaient dans cette eau trouble.

Il vit l'une des perches de Barney flotter à côté de lui. Il l'attrapa, à l'instant où sa botte heurta quelque chose de gros sous la surface.

Il s'écarta et donna un coup de pied violent, puis un autre. Une douleur fulgurante lui transperça le mollet. Il continua de frapper, encore et encore, jusqu'à ce que son pied ne rencontre plus que de l'eau.

Puis il entendit George crier, debout sur le bateau.

— C'est un caïman noir. Un gros. Rejoignez le canot !

Tom se mit à nager, agrippant toujours la perche, et vit les autres aider Emma à remonter à bord avec le sac. Il n'apercevait plus le chien et eut un moment de panique, puis il le remarqua à proximité du canot, à bord duquel le hissèrent Barney et Alice.

Il perçut un gémissement derrière lui : Sandeep était pétrifié sur place. Tom avait lu une fois que les gens paralysés par la peur étaient les plus susceptibles de mourir dans un accident ou une attaque terroriste. Il en eut alors la démonstration.

— Sandeep ! Nage !

Sandeep le regarda, hocha la tête sans bouger d'un pouce.

— Ne me laisse pas, dit-il, désespéré.

— Nage jusqu'à moi ! Allez !

— Éloigne-toi, Tom, cria George. Je ne sais pas où est le caïman.

Deux autres crièrent son nom, mais Tom resta concentré sur Sandeep.

— Nage jusqu'à moi ! répéta-t-il.

Sandeep hocha de nouveau la tête, et cette fois, il se lança dans un crawl nerveux, en regardant de tous les côtés. Il avait presque atteint Tom lorsqu'il distingua sous la surface une ombre qui s'approchait. Il hurla de terreur.

Tom le souleva par l'épaule et le poussa en direction du canot. Le garçon se remit à nager frénétiquement, encouragé par les autres.

Tom donna un coup de pied, mais ne rencontra que de l'eau et vit le caïman fondre sur lui. Il enfonça sa perche, à trois reprises. Elle se ficha dans quelque chose et il fut propulsé vers le canot avec une puissance formidable.

Il tira ensuite de toutes ses forces pour déloger la perche et en donna des coups dans l'eau quatre ou cinq fois, très vite. Alors qu'il s'apprêtait à lancer une nouvelle salve, il sentit quelque chose lui agripper le bras. Quand il voulut riposter, il se rendit compte qu'il était plaqué contre le canot et qu'on le remontait à bord.

Ce n'est qu'à cet instant qu'il céda à la panique et donna un dernier coup de pied, comme s'il s'imaginait que le caïman repartait à l'attaque.

— On te tient, lui assura George. Tu es hors de danger.

Il se calma et se laissa tomber dans le canot. Il lui fallut un moment pour voir qu'ils étaient tous là et que Jess et Barney s'étaient remis à ramer.

— Mon vieux, chaque jour tu m'épates un peu plus ! s'exclama George.

Le chien aboya son approbation et tout le monde rit de soulagement.

Puis Tom remarqua qu'Alice fixait sa jambe avec horreur. Il baissa les yeux et vit son pantalon déchiré et rouge, la peau poisseuse de sang.

Il croisa le regard d'Alice.

— T'inquiète. J'en ai un de rechange dans mon sac.

Elle rit un peu, mais son sourire disparut rapidement.

— Je vais m'en occuper vite fait, dit Shen.

Il retira les bottes de Tom pendant que celui-ci ôtait son pantalon, grimaçant lorsque le tissu humide se colla à la plaie.

— Arrête, ordonna Shen. Je vais prendre les ciseaux.

Il fouilla dans son sac, en sortit sa trousse de premiers soins dont il passa en revue le contenu. Puis il découpa le bout d'étoffe et l'enleva, provoquant une nouvelle décharge de douleur.

Tout le monde regardait, même si certains détournèrent les yeux lorsque la jambe fut mise à nu. Shen, pour sa part, poussa un soupir de soulagement.

— Il va falloir que je nettoie ça et que je mette un bandage, mais ça a tout l'air d'être une écorchure, pas une morsure ni un coup de griffe. Et ce n'est pas plus mal que ça ne soit pas la jambe où le serpent t'a mordu. Ça va piquer. Très fort, prévint-il.

Il ne plaisantait pas. Tom eut l'impression que sa jambe s'embrasait. Il serra les dents, les yeux larmoyants, et lorsque la douleur diminua un peu, le choc lui provoqua un rire nerveux.

Alice souriait à présent. Kate et Emma lui cherchaient des vêtements, pourtant Tom sentait que son tee-shirt était déjà presque sec. Puis il vit Sandeep, affalé contre le bord du canot, qui le fixait.

— Désolé, dit-il dès que leurs regards se croisèrent.

— De quoi ? Ça va ?

Il hocha la tête et Alice se tourna vers lui.

— C'est lequel ton sac, Sandeep ? Tu devrais te changer.

Tous s'activèrent en silence, Shen soignait la blessure de Tom, Barney et Jess ramaient. Ce ne fut qu'une dizaine de minutes plus tard, une fois certains que le danger était derrière eux, qu'Emma dit :

— J'espère que les autres vont bien.

— Il n'y a pas de raison d'en douter, répondit George. Après la dérouillée que lui a mise Tom, cette bestiole ne risque pas d'attaquer quelqu'un d'autre de sitôt.

Ils rirent, même s'ils savaient que ce n'était pas vrai.

À cet instant, ils entendirent l'autre canot signaler bruyamment son arrivée, au risque d'attirer l'attention du caïman. Ils n'y pouvaient rien. Alors ils continuèrent de ramer pour s'éloigner du danger, dressant l'oreille, formant des vœux.

Chapitre 46

On n'entendait plus l'autre canot depuis un moment.
— Pas de nouvelles, bonnes nouvelles, philosopha Barney.

Peut-être avait-il raison. Si le caïman avait attaqué, ils auraient certainement entendu des cris, tout comme Joel et son équipe avaient dû entendre les leurs.

Peu après, au débouché d'un coude, ils aperçurent un rocher lisse et plat au milieu de la rivière, telle une pierre de gué géante. Ils la contournèrent sans trop de difficulté. Un quart d'heure plus tard, cependant, ils en croisèrent d'autres. Apparemment, ils avaient pénétré dans une zone géologiquement différente. Ils redoublèrent de vigilance, tout en progressant toujours à un rythme soutenu.

Ils franchirent de nouveau un méandre, long et sinueux, et lorsqu'ils débouchèrent dans la partie rectiligne suivante, Shen parut inquiet. Il y avait d'autres pierres, mais son regard était fixé au-delà, à un endroit où la rivière semblait disparaître en une masse indistincte.

— On dirait qu'on va confluer avec une autre rivière, expliqua-t-il avant de faire signe à tout le monde de rester silencieux pour qu'il puisse tendre l'oreille. Essayez d'approcher le canot plus près de la rive droite. Pas trop près non plus. Et ce serait peut-être une bonne idée de changer de rameurs.

George et Alice se proposèrent.

Quoi qu'ait pu repérer Shen, Barney l'avait vu aussi, et sans échanger un mot, tous deux furent aussitôt sur le qui-vive, à la façon du chien qui observait le moindre de leurs gestes.

Dans la rivière, les rochers semblaient former un mur, or Tom était certain qu'il y aurait un passage. Mais il y avait quelque chose de plus perturbant : l'air légèrement brumeux au-dessus de ces pierres. Il avait l'impression de regarder l'eau devant lui et la végétation à travers un voile.

— On dirait des rapides, dit Alice.

— Oui, confirma Shen. Continuez d'aller vers la droite. Je ne pense pas que ce soit une chute, mais soyons prudents. Il y a une petite langue de terre là où les rivières confluent, suffisante pour qu'on accoste.

— Mais tu n'avais pas dit qu'il fallait éviter le bord de la rivière ? s'étonna Emma.

— Si. Si, je l'ai dit.

— On est en plein jour, et on a le chien, intervint Tom en souriant à Emma. Je suis sûr que ça ira.

Elle parut rassurée. Pour Tom, le vrai problème était de savoir où ils allaient pouvoir accoster. Les lieux ne s'y prê-taient guère et s'ils tardaient trop, ils risquaient de devoir affronter les rapides.

Il jeta un coup d'œil par-dessus bord. Le courant était visiblement plus fort. Il se hâta de renfiler ses bottes.

— Continuez de vous diriger vers la droite si possible, dit Shen.

— On essaie, répondit George, qui luttait contre le courant.

En quelques minutes, la rivière changea. L'eau se mit à mousser et à bouillonner autour des rochers. La surface ondoyait et se repliait sur elle-même tandis que le courant entraînait l'embarcation vers les rapides. Shen prit le risque de se lever à nouveau, en prenant appui sur Barney, pour scruter la rive.

Il pointa l'index, manquant de tomber par la même occasion.

— Juste avant les rapides, il y a un endroit dégagé, comme une petite plage.

— Il va falloir que tu nous diriges ! s'écria Alice.

— Virez à gauche, dans l'immédiat, dit-il pour éviter un gros rocher qui affleurait. Et maintenant, à droite toute !

George et Alice eurent du mal à reprendre le contrôle du canot, emporté par le courant de plus en plus fort. D'autres rochers apparurent, et le fracas des rapides commença à saturer l'atmosphère.

George redoubla d'efforts, au risque de réduire en miettes l'œuvre de Barney. Ils se dirigeaient bien vers la droite, mais pas assez. Et ils avaient pris trop de vitesse pour accoster.

— On ne va pas y arriver ! cria George.

— On y est presque ! s'exclama Emma en regardant la berge.

— On va trop vite !

Il avait raison. Ils prenaient de l'élan à chaque seconde, les rapides semblaient à présent inévitables.

La berge était assez près pour que Tom puisse y lancer son sac à dos et y sauter d'un bond. C'est alors qu'il se souvint de l'ancre. Il s'en empara, s'agenouilla et brailla :

— Je jette l'ancre !

La réponse des rameurs se perdit dans le fracas ambiant toujours plus assourdissant.

— Il faut que tu l'attaches, dit Shen.

— Pas le temps !

Il enroula le bout de la corde autour de sa main et jeta l'ancre à l'eau en s'agrippant à la corde de sécurité qui ceignait le canot.

C'était une sage précaution : l'ancre atteignit le lit de la rivière et se coinça, tirant sur son bras puis son corps avec une violence inouïe.

Le canot ralentit notablement, mais Tom comprit que l'ancre n'était plus fixée et que seul son poids les freinait.

— C'était bien, nota Alice. Recommence.

Il jeta l'ancre à nouveau, qui cette fois, ne s'accrocha nulle part et ne réduisit en rien leur vitesse.

— On n'a plus beaucoup de temps ! hurla George.

Tom scruta la rive, les racines noueuses des arbres. Ça valait le coup d'essayer, mais il allait avoir besoin de ses deux bras.

— Allongez-vous tous ! cria-t-il tout en remontant l'ancre. Il faut que quelqu'un me tienne les jambes !

Il grimaça de douleur en sentant des mains enserrer sa jambe blessée.

— Pas ici ! Comme ça ! intervint aussitôt Kate, qui plaça une de ses mains sur la cuisse de Tom, l'autre autour de sa cheville.

L'ancre émergea de l'eau, toute visqueuse. Tom l'empoigna.

George cria quelque chose, l'air paniqué, mais Tom resta concentré sur l'ancre dans sa main, la corde dans l'autre, les arbres sur la rive avec leurs racines qui plongeaient dans l'eau.

Il jeta l'ancre de toutes ses forces. Elle décrivit un arc en direction de la rive, lui rappelant la fusée qui avait traversé la grange et fini sa course dans le ventre du narcotrafiquant. Elle disparut parmi les arbres et les plantes, sans paraître trouver quelque chose à quoi se fixer.

Puis la secousse arriva, si brutale qu'elle le projeta contre la paroi du canot, obligeant Kate et Sandeep à l'empoigner plus rudement. Tom eut l'impression de s'être déboîté l'épaule. Il entendit des gens tomber quand le canot s'arrêta net.

Le chien aboya, nerveux, puis ils dérivèrent vers la berge. Ils n'étaient pas tout à fait à la langue de terre qu'avait repérée Shen, mais aussi près du bord, le courant était plus lent et ils étaient hors de danger.

— Tout le monde va bien ?

Acquiescement général.

— Si je lâche la corde, c'est bon ?

— Oui, tu peux, dit Alice.

Il se rendit compte qu'elle lui avait brûlé la peau de la main et du poignet. Le canot reprit sa route à une allure raisonnable et bientôt ils accostèrent.

George sauta à terre, suivi de Sandeep puis du chien. Les autres débarquèrent à leur tour et remontèrent le canot sur la plage. Ils étaient tous épuisés. Seul le chien courait comme un fou, explorant avec enthousiasme ce nouveau terrain. Son silence rassura tout le monde : ils n'avaient plus rien à craindre.

Chapitre 47

La plage était tout juste assez grande pour accueillir le canot. Autour d'eux, la berge grimpait jusqu'à la végétation dense, tandis qu'une étroite bande la longeait encore sur une vingtaine de pas avant la langue de terre qu'avait repérée Shen.

Une fois le canot à l'abri, Shen s'élança sur ce sentier périlleux. Bientôt, avec le fracas des rapides sur leur gauche, tous découvrirent un cours d'eau beaucoup plus large. La rive opposée était aussi luxuriante, il ne faisait donc aucun doute qu'ils se trouvaient toujours au beau milieu de la jungle, telle qu'ils l'avaient vue du promontoire. Mais ce fleuve était suffisamment grand pour leur insuffler de l'espoir : ils allaient quelque part.

Après un moment de silence, Shen prit la parole.

— Retournons au canot et tâchons d'avertir Joel et son équipe.

Tout le monde acquiesça et ils regagnèrent la petite plage.

— Félicitations, dit Shen. Vous avez fait un sacré bon boulot.

— Merci, dit George.

— Oui, merci, dit Alice.

— J'avais complètement oublié l'ancre, Tom.

— Espérons qu'on n'en aura plus besoin.

Shen lança encore un regard vers le fleuve avant de suivre les autres.

De retour sur la plage, ils attendirent, aux aguets. Le rugissement des rapides anéantissait tout espoir d'entendre l'autre canot arriver. Aussi, ils se concentraient sur l'eau de part et d'autre du gros rocher qui leur masquait la vue du milieu de la rivière.

Tom avait supposé que le second canot n'avait que dix à quinze minutes de retard sur eux. Comme ils étaient partis une dizaine de minutes à peine pour explorer les lieux, il s'attendait à les voir apparaître d'une seconde à l'autre. Or ce ne fut pas le cas. Il regarda sa montre, puis la regarda de nouveau cinq minutes plus tard. Et encore cinq minutes plus tard.

— Ils devraient être là, murmura Barney.

— Et si c'était le caïman ? suggéra Kate.

— On aurait entendu quelque chose, répondit Shen sans paraître très sûr de lui.

— Je le pense aussi, affirma George.

Tom se souvenait d'avoir entendu le canot de Joel s'approcher bruyamment de l'endroit où ils avaient rencontré le caïman. Aucun de ceux qui étaient à bord ne semblait se rendre compte du danger qui les guettait dans l'eau. Pire, si le caïman les avait attaqués et avait détruit leur canot, comme le leur avait failli l'être, l'un d'entre eux seulement avait d'abord été tué. Les autres avaient dû regagner la berge hostile ou se laisser emporter par le courant. Pourtant, Tom et ses camarades ne pouvaient rien faire d'autre qu'attendre. Et espérer ne pas les voir arriver sous forme de cadavres.

Il consulta de nouveau sa montre, puis Jess pointa du doigt l'espace entre la rive et le gros rocher.

— Je les vois.

Il finit par entrapercevoir un éclat jaune qui contournait un autre rocher plus en amont. Le canot n'avait pas l'air endommagé. Tous le repérèrent et poussèrent des cris de joie et de soulagement.

— J'espère qu'ils nous verront à temps, s'inquiéta Alice.

Ils se mirent à brailler et à gesticuler, alors que le canot était désormais invisible. Avec les aboiements du chien, ils faisaient assez de bruit pour être entendus malgré le rugissement des rapides.

Le canot réapparut. Joel et Nick, à l'avant, ramaient furieusement... droit sur les rapides. Apparemment, ils avaient l'intention de les franchir. Les autres passagers étaient hors de vue, terrés au fond du canot.

Joel et Nick les aperçurent et Joel se contenta de rire. Il devait penser qu'ils s'étaient échoués et qu'il tenait là l'occasion de reprendre la tête. Nick n'avait pas l'air aussi réjoui et cria des mots inaudibles.

N'obtenant aucune réponse, il tira sur le bras de Joel. Déséquilibré, ce dernier tomba à la renverse. Nick se mit à ramer avec encore plus de vigueur : il devait avoir compris, contrairement à Joel. Maintenant qu'il était seul à ramer, le canot dériva vers la plage. Mais il était trop tard.

Nick hurla quelque chose et, cette fois, Joel se redressa, ne sachant que faire. Pour finir, il se plaça derrière Nick et se mit à ramer du même côté, mais le canot était hors de contrôle à présent, dépassant la plage, prenant de la vitesse.

Le canot tournoya et se dirigea droit sur un rocher. Nick vit l'obstacle approcher à toute allure et cria à nouveau. Puis il se tourna vers Tom et les autres, qui regardaient la scène, impuissants. Une fois encore, ils ne comprirent pas ce qu'il disait.

Le canot heurta le rocher de plein fouet et s'arrêta net. L'arrière se souleva et, pendant un instant, l'embarcation parut sur le point de chavirer. Tout le monde à bord hurla, des sacs à dos furent catapultés dans les airs, ainsi que Nick. Il décrivit une courbe extrêmement gracieuse. En revanche, son atterrissage fut brutal et il s'écrasa contre un autre rocher. Sous la violence de l'impact, sa jambe se brisa avant qu'il rebondisse et disparaisse dans l'eau.

Les secondes s'écoulèrent dans un silence sidéré, durant lesquelles Tom revit la scène en boucle. Nick, lui qui avait eu si peur dans la jungle lorsque Chris et Joel avaient été faits prisonniers… voilà qu'il était parti. Son histoire se terminait ici, bêtement.

Malgré tout, ils continuèrent de scruter l'eau. Tous haletèrent de surprise lorsque sa tête émergea à la surface, déjà loin, son corps inerte emporté par le courant. Dans le groupe, le choc était palpable, et personne ne parla.

Soudain, comme par miracle, Nick dressa la main hors de l'eau, en un salut pitoyable, avant d'être emporté par les flots.

— Il a fait un signe ! s'exclama quelqu'un derrière Tom.

— J'en doute, répondit quelqu'un d'autre. C'était juste son corps ballotté par le courant.

— C'était un signe, affirma Tom.

Ce qui voulait dire qu'il était en vie.

Il regarda le canot échoué sur le rocher. À première vue, il n'avait pas trop souffert et bien que l'équipage fût en état de choc, il n'y avait pas de blessé. Ils devaient repêcher Nick. Même disloqué, à l'agonie, voire déjà mort, ils ne pouvaient pas l'abandonner.

Il courut vers leur canot, prit la corde et la tendit à Sandeep.

— Transportez le canot jusqu'à la langue de terre et tenez-vous prêts à le remettre à l'eau.

— Tom, répliqua Emma. On ne peut pas le sauver. Il est parti.

— On y va, insista-t-il avec tant de conviction que tout le monde obéit. Sandeep, envoie-leur l'autre bout de cette corde. N'entre pas dans l'eau. Dès qu'ils l'auront attrapé, tire-les jusqu'ici. Rejoignez-nous ensuite. Une fois qu'on aura récupéré Nick, on vous attendra sur la berge. Si on ne vous voit pas d'ici une heure, on reviendra à pied. D'accord ?

Sandeep acquiesça. Il paraissait effrayé et incertain, mais avait encore plus peur de désobéir à des ordres donnés avec une telle détermination.

— Nick est parti, dit-il seulement.

— Non, répliqua Tom, avant de courir derrière le groupe.

Il ne savait pas pourquoi cela avait autant d'importance pour lui, peut-être en raison de cette promesse stupide qu'il avait faite, ou peut-être simplement parce que Nick avait douté de lui. Quoi qu'il en soit, il n'accepterait pas de l'avoir perdu, pas tant qu'il restait une lueur d'espoir.

Chapitre 48

Les autres étaient déjà arrivés à destination lorsque Tom les rejoignit. Sans un mot, ils mirent le canot à l'eau et grimpèrent à bord. Une fois encore, George fut le dernier à monter après l'avoir poussé dans l'eau.

Le courant les emporta immédiatement au milieu du fleuve, ce qui n'empêcha pas Alice et Kate de se mettre à ramer comme des compétitrices dans une course sans ligne d'arrivée visible. Le reste de l'équipage scrutait l'étendue d'eau, même si Tom savait que la plupart d'entre eux pensaient qu'il n'y avait pas la moindre chance de retrouver Nick.

Ils avaient peut-être raison, toutefois Nick était encore conscient lorsqu'il avait franchi les rapides. Il leur avait fait un signe, et même si l'espoir était ténu, ils devaient au moins essayer. Peu importe qui il était. Il était blessé, seul, et il avait besoin de leur aide.

Bientôt, Barney tendit le doigt. Lorsqu'ils comprirent que ce n'était pas Nick, ils craignirent que ce ne fût un autre caïman. En s'approchant de plus près, ils constatèrent qu'il s'agissait d'un tronc d'arbre.

Quand Kate commença à fatiguer, George prit sa place auprès d'Alice. À eux deux, ils firent prendre de la vitesse au canot. Cependant, ils n'apercevaient toujours rien. Peu à peu, le désespoir se peignait sur les visages. Étant donné la largeur du fleuve et la jambe brisée de Nick, Tom commençait à douter lui aussi.

— Est-ce que Nick est bon nageur ? demanda Kate.

Personne ne répondit, parce que personne ne le savait, et ensuite parce que tous avaient vu son corps se disloquer sur le rocher.

Soudain, le chien aboya et tous tournèrent leur attention vers le fleuve.

Une fois de plus, ce fut Jess qui le repéra en premier.

— Oui ! C'est lui, c'est lui !

Elle avait raison.

— Il ne nous fait pas signe, fit remarquer George.

— Il est peut-être épuisé, dit Emma.

Seule la tête de Nick était visible au-dessus de la surface luisante de l'eau, face à eux. Alice et George parvinrent à puiser en eux un regain d'énergie pour les faire avancer encore plus vite.

— Préparez-vous, on est sur lui ! s'écria George.

Il lâcha sa rame et se pencha par-dessus bord si brusquement qu'on aurait dit qu'il allait plonger. L'effort lui tira un grognement, le bord du canot se froissa sous son poids. Tom bondit à ses côtés et attrapa la première chose qui lui tomba sous la main. Quand il se rendit compte que c'était la jambe de Nick, il faillit la lâcher, puis s'aperçut que c'était celle qui n'était pas cassée.

George et lui hissèrent Nick à bord. Une fois hors de l'eau, il se mit à hurler. Son autre jambe pendait au niveau du genou, toute molle.

Lorsqu'ils l'allongèrent sur le fond du canot, il hurla de plus belle et tous eurent un mouvement de recul. Tous, sauf Shen, qui s'avança, fit bouger la jambe cassée, donna quelques ordres, s'empara du kit médical et demanda à deux ou trois personnes de l'assister.

Nick n'arrêtait pas de crier.

— C'est bon signe, commenta Shen.

Tom tendit sa rame à George.

— Fais-nous accoster dès que tu vois un endroit qui a l'air sûr. J'ai dit aux autres qu'on les attendrait.

— Pas de problème.

George s'exécuta sur-le-champ et Tom s'adossa au canot. Le chien enjamba immédiatement plusieurs personnes et se lova contre lui, la tête posée sur ses genoux, sentant peut-être que Tom était un havre de tranquillité au milieu de toute cette détresse.

Au bout de quelques secondes, Tom ferma les yeux, envahi par une sorte de paix intérieure. Le chien à ses côtés, les cris de Nick, les mouvements de Shen et des autres autour de lui qui faisaient tanguer le canot, le rythme des rames…

Rien de tout cela n'est réel, pensa-t-il. Il avait l'impression d'avoir tout imaginé, ou peut-être était-il mort dans le crash et tout ceci était l'invention de son cerveau dans ses derniers instants. Il n'avait jamais affronté de jaguar au cœur de la jungle amazonienne, ni de serpents, ni de caïmans, ni d'araignées. Il n'avait sauvé personne, n'avait tué personne, il n'était pas assis là avec la tête de ce chien sur ses genoux.

Et pourtant, il savait que toutes ces choses s'étaient réellement produites, ce qui l'amena à une autre conclusion : c'était le monde réel qui était un rêve, et sa vie d'avant un pur produit de son esprit. C'était la même chose pour eux tous, et quoi qu'il advienne, ce que Kate lui avait dit était vrai : les tragédies et les victoires de ces quelques derniers jours deviendraient les fondations de leurs vies, reléguant tout ce qui était arrivé avant dans l'insignifiance.

— Et là-bas ? entendit-il dire Alice.

— Ça m'a l'air pas mal, répondit George.

Leurs voix ramenèrent Tom au présent. Il vit un rivage rocheux où la jungle était plus en retrait.

Quelques minutes plus tard, ils étaient arrivés en eaux peu profondes et George sauta du canot. Ils débarquèrent et attachèrent l'embarcation tout en surveillant le chien, à l'affût d'une menace. Celui-ci trouva de nombreuses choses intéressantes à renifler, mais rien qui fût susceptible de le faire grogner ou aboyer.

Shen resta dans le canot pour s'occuper de Nick, lequel était plus calme maintenant. Il gémissait mais ne hurlait plus.

Tom resta légèrement à l'écart, à contempler l'immensité du fleuve. Dans combien de temps leur révélerait-il un village ? Ils en avaient besoin plus que jamais.

Barney vint vers lui et s'accroupit pour caresser le chien.

— Je crois que ça ira pour Nick. Enfin, il faudrait qu'on l'emmène à l'hôpital au plus vite, mais c'est moins grave que ce que ça aurait pu l'être. C'est toi qui l'as sauvé, Tom, même si on s'y est tous mis.

— Il ne m'apprécie même pas, répondit Tom avec un rire amer. Mais je ne pouvais pas l'abandonner.

— Je sais. Comme tu ne pouvais pas abandonner Sandeep, ou Joel et Chris. Tu es comme ça. Je ne suis probablement pas assez cool pour être ton ami, mais tu es le meilleur genre d'ami qui existe, le genre qui n'hésite pas à s'exposer au danger quand c'est nécessaire.

— Barney, tu es largement assez cool pour être mon ami. Et je ne vois personne d'autre avec qui je préférerais me trouver lors d'un crash aérien.

— Même pas Alice ?

Il arborait un sourire espiègle, similaire à celui qu'il lui avait adressé il y a un million d'années quand il lui avait dit que Mme Graham en pinçait pour lui.

— Si, peut-être. Et Kate, bien sûr, et Shen, George, le chien…

Barney rit, puis il tendit l'index.

— Ils ont fait vite.

Chris était à l'avant, plongeant l'autre rame tantôt d'un côté, tantôt de l'autre. Il les repéra sur le rivage et commença laborieusement à avancer à contre-courant.

Sandeep attacha la corde à l'anneau puis l'enroula, prêt à la lancer. Tom observa le canot. Toute l'équipe avait l'air en état de choc. Toutefois, il ne voyait pas le visage de Joel et ne l'entendait pas non plus.

Sandeep lança la corde, Tom l'attrapa et l'agrippa fermement. Chris s'était débrouillé comme un chef et le canot vint se placer à côté de l'autre.

Tous en débarquèrent et concentrèrent leur attention sur Nick. Dès qu'il aperçut Joel, Nick se mit à hurler :

— Je te l'avais dit ! Je te l'avais dit ! J'aurais pu mourir ! On aurait tous pu mourir !

Joel secoua la tête.

— Ça n'a pas fonctionné, Nick, et j'en suis désolé, mais il fallait essayer.

— Non, il ne fallait pas ! Ils n'ont pas essayé, eux ! dit-il en désignant George.

— Nick, je vois bien que tu es en colère, et je le comprends, mais…

— Ça suffit ! le coupa Alice en se plantant devant lui. Je crois que tu en as assez dit, et c'est inutile. Nick a besoin de repos.

Joel eut l'air exaspéré, comme s'il trouvait qu'on le traitait injustement, il s'éloigna sans un mot.

— Combien de sacs à dos il vous reste ? demanda Alice à Chris.

— Deux.

— Il faut qu'on vérifie nos réserves de nourriture et de boisson.

— On n'a plus rien, bredouilla Chloé. Peut-être un ou deux trucs à boire, mais pas de nourriture. On a tout mangé tout à l'heure.

Alice en resta muette.

— Vérifions quand même, lança Shen, resté sur le canot.

Du coin de l'œil, il regarda le fleuve, et Tom devina à quoi il pensait : ils allaient devoir trouver un village rapidement. Pas seulement à cause de Nick, mais aussi parce que se nourrir ici serait presque impossible, sans parler de purifier l'eau. Cette réalité les aurait rattrapés tôt ou tard, mais en terminant ses provisions et en perdant ses sacs, l'autre équipe avait précipité ce moment.

Chapitre 49

Ce ne fut que lorsque les provisions restantes furent disposées dans le fond du radeau que Tom se rendit compte à quel point il avait faim.

— On devrait garder tout ça pour plus tard, dit Shen en abandonnant Nick pour rejoindre les autres.

— Je ne peux pas pêcher ici sans canne, dit Kate. Je pourrais me débrouiller pour trouver de quoi manger, mais ça ne nous aidera pas pour l'eau, et ça prendra du temps.

— Je croyais qu'on allait s'installer ici, dit Oscar. On ne devrait pas faire un feu ?

— Non, répondit Shen. Je crois que le mieux à faire, c'est d'avancer tant qu'on le peut.

Joel, resté silencieux depuis sa prise de bec avec Nick, regarda le ciel.

— Je comprends ton point de vue, Shen, dit-il, mais Oscar a raison. Il ne nous reste peut-être qu'une heure de jour, et cet endroit semble convenir. On ne sait pas quand on en trouvera un autre.

— Le fleuve est large, répliqua Shen en scrutant l'eau d'un air préoccupé, on peut rester au milieu et utiliser les torches qu'il nous reste.

Joel parut pris de court.

— Vous êtes vraiment champions pour critiquer mes décisions, et j'admets que certaines n'ont pas payé, mais là, tu parles de naviguer à l'aveugle sur un fleuve en pleine nuit, à l'heure où les caïmans, les anacondas et toutes sortes de créatures sortent chasser. Sandeep m'a raconté ce qui est arrivé à votre canot en plein jour, alors tu es bien placé pour savoir que c'est ridicule. Non. J'apprécie tes efforts, Shen, sincèrement, mais c'est non.

— Je te parle d'emmener Nick dans un hôpital, répondit Shen d'une voix posée. Je te parle de trouver un village avant de mourir de faim, avant d'être forcés de boire une eau souillée, avant de mourir.

— C'est ce que je veux, moi aussi, et une nuit de plus ici ne changera rien. Alors qu'une nuit sur le fleuve, si. J'ai pris ma décision, Shen. C'est non.

Shen le regarda sans rien ajouter. Tom avait observé toute la scène. Il savait que Shen ne suggérerait pas de naviguer de nuit s'il ne pensait pas que c'était une question de survie, et pas seulement pour Nick.

Joel se détourna et rameuta les troupes.

— Écoutez, tous, j'ai bien réfléchi, et je ne pense pas qu'il soit prudent de naviguer après la tombée de la nuit, alors nous allons camper ici et nous repartirons à l'aube. Allez ramasser de quoi faire du feu, et soyez vigilants.

Bon nombre d'entre eux entreprirent immédiatement de récupérer du bois flotté sur la berge. Shen secoua la tête. Alice et George le regardèrent avec inquiétude, avant de se tourner vers Tom. Joel en fit de même et lui adressa un sourire. Un sourire étrangement victorieux. Tom ne savait pas quelle victoire il pensait avoir remportée, mis à part le fait que des personnes soient encore disposées à suivre ses ordres, alors même que Nick était désarticulé au fond d'un canot.

Barney le regardait aussi. Il attendait quelque chose, comme s'il cherchait à lui rappeler ce qu'il lui avait dit sur le genre d'ami qu'il était, le genre qui n'hésite pas à s'exposer. Et Barney avait raison. Ces ados étaient ses amis désormais et ils avaient besoin que Tom fasse ce qu'il aurait dû faire dès le départ.

— Où est-ce qu'on fait le feu, Joel ? demanda Sandeep.

— Nulle part, intervint Tom. On ne reste pas ici.

Joel se tourna vers lui, arborant toujours le même sourire.

— La décision a déjà été prise, Tom.

— Exact. On continue, pour toutes les raisons qu'a énumérées Shen.

— Vraiment ?

— Oui, vraiment.

— Eh bien, je n'ai pas l'intention de me disputer avec toi, mais voyons voir ce que les autres en pensent, d'accord ? (Il éleva la voix à nouveau.) Écoutez-moi tous ! Tom a subitement décidé qu'il voulait prendre les commandes. Alors vous allez donner votre avis. Voulez-vous naviguer dans le noir total, incapables de voir les obstacles ou d'éviter l'attaque d'un caïman, sans avoir la moindre idée de l'endroit où vous allez, ou voulez-vous passer la nuit autour d'un feu, sur cette berge et repartir à l'aube ? Le choix vous appartient. Vous êtes avec Tom, ou vous êtes avec moi.

Pendant un moment qui sembla interminable, personne ne pipa mot, et Tom se demanda s'il n'avait pas mal interprété les regards et l'état d'esprit du groupe.

Puis Barney leva la main et sourit, comme si c'était une évidence.

— Je suis avec Tom et Shen, naturellement.

— Moi aussi, dit Alice.

— Et nous, ajouta Kate qui parlait aussi au nom d'Emma.

Jess leva la main, George lui sourit.

— Je vois que l'équipage de notre canot a l'intention de rester soudé, dit-il.

Joel secoua la tête, plein de dérision.

— Tellement prévisible... Très bien, alors c'est dit. C'est ici que nos routes se séparent.

— Attends.

C'était Chris. Pour la première fois, la confiance de Joel parut ébranlée.

— À mon avis, on ne devrait pas se séparer. Je refuse. Et, à vrai dire...

— Chris ? fit Chloé, interloquée.

— Désolé, Chloé, mais ce mec m'a sauvé la vie. Et la tienne, Joel.

— Tu n'en sais rien. Tu ignores ce qui se serait passé si...

— Si, Joel, je le sais. Et ça me suffit. Là où Tom ira, j'irai.

Joel se retourna vers Tom et lui lança un regard venimeux.

— C'est ça que tu veux ? Maintenant que toutes les décisions difficiles ont été prises, tu veux être le chef ?

— Tu ne comprends vraiment rien, hein, Joel ? répondit Tom. On n'avait pas besoin de chef. On n'est qu'une bande d'ados perdus dans la jungle. Tout ce dont on avait besoin, c'était de s'écouter les uns les autres. Si on l'avait fait, trois d'entre nous seraient peut-être encore en vie.

— Tu ne peux pas me mettre leur mort sur le dos ! s'écria Joel en faisant un pas en avant, agressif. Je n'ai tué personne !

— Non, en effet. C'est moi, c'est nous tous, en te laissant parler. Et c'est terminé. On se casse.

Joel semblait prêt à argumenter encore, mais un coup d'œil sur les autres visages suffit à l'en dissuader. Son air supérieur avait du plomb dans l'aile.

— Très bien ! s'exclama-t-il. Faites comme vous voulez, mais souvenez-vous tous, quand ça tournera mal, que j'étais contre cette décision.

Sandeep lâcha son chargement de bois.

— Qu'est-ce qu'on doit faire, Tom ?

— Attacher les canots ensemble, celui où est Nick à l'arrière. Shen doit rester auprès de lui, avec quelques autres…

— Moi, se proposa Chris.

— Moi aussi, dit Mila.

Chloé leva aussi la main pour se porter volontaire.

— Ce sera probablement suffisant, dit Tom. On sera plus serrés dans l'autre bateau, mais il faut que Nick puisse être allongé. Demandez à Shen et à Barney s'il y a autre chose à faire. Et mettons-nous en route dès que possible. Nick a besoin de soins.

Tout le monde s'activa sous les instructions de Shen et de Barney. Ils déplacèrent l'autre canot, l'attachèrent au premier, répartirent les sacs.

— Bravo, murmura Alice en passant près de Tom.

— Il était temps, ajouta George en lui mettant un coup d'épaule amical.

Puis le chien aboya et Tom vit que Joel s'éloignait en direction des arbres. Kate suivit son regard.

— Je suis allée te chercher, Tom, mais je n'irai pas le chercher, lui.

Tom lui sourit, cependant il était perplexe. Est-ce que Joel voulait qu'ils le laissent ou voulait-il s'absenter assez longtemps pour les empêcher de partir avant la nuit ? Quelle que soit la raison, cela énerva Tom. Il remonta rapidement la plage, le chien sur ses talons, et rattrapa Joel alors qu'il allait s'enfoncer sous le couvert des arbres.

— Hé !

Joel s'arrêta, prit son temps pour se retourner.

— Il faut que j'aille pisser, est-ce que j'ai besoin de ta permission pour ça ?

— Je t'attends, répondit Tom. Tu viens avec nous, Joel, même si je dois t'attacher au canot.

— Tu te prends pour un héros, hein ?

Tom n'était pas d'humeur à explorer l'ego blessé de Joel.

— Contente-toi d'arroser les fleurs, et on s'en va.

— Mon envie de pisser n'est pas si pressante, finalement.

Il redescendit sur la plage et se dirigea vers les canots. Tom grattouilla la tête du chien, puis le suivit.

Chapitre 50

Un quart d'heure plus tard, ils étaient repartis. Au début, l'atmosphère était tendue, tout le monde se forçait à parler comme s'il ne s'était rien passé et que Joel n'était pas assis à bouder en silence contre le bord du premier canot. Et puis peu à peu, ils semblèrent véritablement oublier qu'il était là et les conversations reprirent leur cours naturel.

Le fleuve était large, tranquille, surplombé de ses rives luxuriantes toujours aussi impénétrables. Peut-être était-ce parce qu'ils se tenaient à bonne distance des deux berges, mais le chien paraissait plus détendu et n'aboya ou ne grogna que rarement.

Barney entreprit de fabriquer une civière pour Nick avec les sacs à dos.

Au bout d'une heure, Alice sentit que l'obscurité allait bientôt tomber et distribua la nourriture restante. Tom partagea sa maigre ration avec le chien, et d'autres en firent de même.

— C'est tout ce qu'il nous reste de nourriture, dit Joel, sortant de son mutisme, et vous la donnez au chien.

Nul ne répondit, certains chouchoutèrent même davantage l'animal.

— On ne t'a même pas donné de nom, dit Alice à l'animal. Comment pourrait-on l'appeler ? Tu as une idée, Tom ?

— Quelque chose en espagnol, j'imagine.

— Comment on dit chien en espagnol ? demanda Emma.

— *Perro*, finit par dire Joel.

Ça avait l'air de lui faire tellement mal de répondre que Tom faillit en rire. Il s'en empêcha pourtant et prononça de nouveau le mot.

— *Perro.*

Aussitôt, le chien dressa les oreilles et fixa Tom, et tout le monde s'esclaffa. Chacun prononça le nom à tour de rôle et le chien devint officiellement Perro.

Au bout d'une demi-heure, la jungle sembla s'animer davantage, comme dans l'attente de quelque chose. Puis la nuit tomba avec sa rapidité habituelle. Elle les enveloppa et réduisit leur monde aux deux canots dans lesquels ils étaient assis.

Pour économiser leurs piles, ils décidèrent de n'utiliser qu'une lampe torche à la fois. Quelqu'un se plaça derrière les deux rameurs, éclairant un côté, puis l'autre.

Hormis les rameurs et celui qui tenait la torche, tout le monde somnolait. Tom s'occupa d'abord de la lumière, puis prit la place de rameur pendant quelques heures. La concentration et la fatigue musculaire l'aidaient à oublier sa faim. Il n'arrivait même pas à se souvenir de la dernière fois qu'il avait dormi.

— Tom, je vais te remplacer. Tu rames depuis des heures, dit Sandeep dans son dos. Il faut que tu dormes.

Tom protesta puis lui tendit la rame.

Le sommeil vint rapidement, mais presque aussitôt, les rêves l'envahirent, flous et morcelés. Il était à genoux, tenant la lance bricolée, et un corps s'empalait dessus. Il sentait

263

la résistance du cartilage, des os, or, lorsqu'il levait les yeux il voyait le visage du jeune garde, pas du moustachu. Son inconscient le fit ensuite avancer jusqu'à la grange, avec son pistolet lance-fusée. Il tirait, Alice lui hurlait d'arrêter et, sans qu'il comprenne pourquoi, la fusée traversait la grange et explosait dans le ventre de Chris, attaché à une poutre par des cordes.

Tom se réveilla en sursaut, le corps tendu, le cœur battant la chamade. Il se calma en se rappelant où il était, vit le faisceau de la lampe aller et venir doucement, entendit le bruit des rames.

Sa respiration reprit un rythme normal.

— Ça va ? souffla Alice.

Elle était assise près de lui. Était-elle là depuis le début ou s'était-elle installée à ses côtés pendant qu'il dormait ?

— Ça va.

— Tu remuais dans tous les sens comme si tu faisais un cauchemar.

— Oui, j'étais en train de rêver. Tout était sens dessus dessous, et... ce n'était pas génial.

— Ça concernait ce qui s'est passé dans le laboratoire clandestin ?

— Oui.

Elle ne répondit pas, mais elle lui prit la main et la serra. Il lui en fut infiniment reconnaissant.

Elle ne le lâcha pas.

— Je serai toujours là si tu as envie d'en parler, lui dit-elle au bout d'un moment. Et si tu n'as pas envie, ça me va aussi.

— Il n'y a pas grand-chose à dire. Sauf que je n'arrête pas de penser à ce jeune qui montait la garde...

— Moi aussi je pense à lui. Il n'était guère plus âgé que nous.

Il se réjouit de constater qu'ils étaient sur la même longueur d'onde.

— Je suis sûr qu'il nous aurait tués, comme tous les autres, mais ça ne me réconforte pas vraiment.

— Non, répondit-elle avant de marquer une pause, comme si elle retenait sa respiration. Ça me fait juste tellement mal de penser à ce qui aurait pu se passer si tu n'y étais pas allé.

Il revit Chris et Joel, attachés à la poutre, l'œil tuméfié de Chris, le torse nu de Joel et son tee-shirt déchiré, l'expression dans les yeux des hommes qu'il avait tués.

— Oui, se contenta-t-il de répondre.

Ils restèrent silencieux un moment.

— Essaie de te rendormir, finit par dire Alice. Je suis là.

— Merci.

Il ferma les yeux et sombra peu à peu dans l'inconscience. Et cette fois, il dormit d'un sommeil sans rêves.

Chapitre 51

Il s'éveilla à demi en entendant la voix de Chris dans l'autre canot.

— C'est trop bizarre. D'habitude, j'ai toujours besoin d'aller faire pipi dès que je me lève, mais ce matin, pas du tout.

Tom sourit.

— Eh ben ! répondit Chloé, quel soulagement pour nous tous !

— C'est parce qu'on est déshydratés, expliqua Barney.

Tom se rendit compte que la main d'Alice était toujours dans la sienne. Il ouvrit les yeux et regarda autour de lui. Le jour s'était levé, mais pas depuis longtemps. Tout le monde commençait à s'agiter.

Alice se réveilla à son tour, lâcha sa main et s'étira.

— Bonjour, dit Tom.

— Bonjour, répondit-elle avec un sourire, avant de froncer les sourcils. J'ai l'impression d'avoir un truc mort dans la bouche.

Avec un geste théâtral, Barney lui tendit un tube de dentifrice.

— Deux en un : ça coupera aussi la faim.

— Tu es un génie, Barney.

Tom jeta un regard à Kate et à Jess qui ramaient, puis au fleuve. On aurait pu croire qu'ils faisaient du surplace, tant le paysage était immuable.

À présent, tout le monde était réveillé, à l'exception de Perro, roulé en boule au milieu du canot. Plusieurs tubes de dentifrice passèrent de main en main, puis les boissons qui restaient.

— Comment va Nick ? demanda Alice.

— Ça va, répondit le blessé du fond de l'autre canot.

— Ravie de l'entendre !

Mais Shen lança un regard grave à Alice.

Étrangement, alors que la situation était somme toute pire qu'avant, l'humeur était plus gaie ce matin. La plupart des membres du groupe discutaient, Chris et Chloé se chamaillaient gentiment. Seul Joel restait muet, affichant un air satisfait déroutant.

— L'une de vous veut faire une pause ? demanda Tom aux deux rameuses.

— On ne rame pas depuis longtemps, répondit Jess avec un sourire. On vient de remplacer Sandeep et Barney.

Soudain, Kate hurla.

— Oh, mon Dieu !

Elle commença à ramer plus vite, donna cinq coups de rame puissants et rapides, puis s'arrêta et tendit le cou.

— Regardez ! Une ville ! Il y a une ville !

Elle redoubla d'efforts, et Jess aussi. Chris attrapa la rame dans l'autre canot pour leur prêter main-forte.

Bientôt, Tom aperçut des pontons en bois, avec des bateaux qui y étaient attachés. Des bâtiments de style colonial, avec ce qui ressemblait à un hôtel de ville et une église. Devant cette dernière, un escalier fait de large pierres descendait jusqu'au fleuve. Et puis tout autour, de petites maisons, dont les toits étaient tout juste visibles, avec des palmiers par-ci, par-là.

Ils n'avaient aucune idée d'où ils étaient, ni même du pays dans lequel ils se trouvaient, mais l'apparition de cette ville était surréaliste.

Ils forcèrent l'allure, surexcités, réveillant Perro, qui participa à l'agitation ambiante à grand renfort d'aboiements. Et lorsqu'ils atteignirent les marches de pierre, probablement construites des centaines d'années auparavant par les conquistadors espagnols, George franchit l'intervalle d'un bond avec la corde qu'il attacha à un poteau.

Ils débarquèrent, s'étirèrent les jambes, un peu sonnés et indécis. Puis l'attention se tourna vers Nick, et Shen donna des instructions pour le placer sur la civière.

Nick cria de douleur lorsqu'il fut soulevé :

— Non ! Non ! Laissez-moi là !

Shen l'ignora, et quelques secondes plus tard, c'était fait.

— C'est bon. Tout va bien. On t'emmène.

Il fit signe à Chris et à George de porter la civière de fortune et le groupe gravit les marches. Ce ne fut que lorsqu'ils arrivèrent en haut, face à l'église et au petit village adjacent, que Tom s'aperçut que Joel n'était pas parmi eux.

Shen s'approcha de lui.

— Félicitations. Tu avais dit que tu ne laisserais personne d'autre mourir, et tu as réussi.

— Merci, ce n'est pas vraiment grâce à moi. On a eu de la chance, et tout le monde y a mis du sien.

— Chacun forge sa propre chance. C'est prouvé scientifiquement. Et toi, tu l'as forgée pour nous. Quoi qu'il en soit, ce fut un honneur, déclara-t-il en lui tendant la main.

— Pour moi aussi, répondit Tom en la lui serrant.

Barney arriva et ils se serrèrent la main également. Tom trouvait amusant que Shen et Barney paraissent plus jeunes que tout le monde, et en même temps plus âgés et plus sages. C'était pour ça qu'il les appréciait et il était sûr qu'ils avaient joué un rôle bien plus important que lui pour mener tout le monde à bon port.

La porte de l'église s'ouvrit, Tom se retourna. Il ressentit soudain une vague de nervosité. Après plus d'une semaine seuls, ils allaient enfin rencontrer un adulte, quelqu'un qui reprendrait le contrôle de cette situation démente. Puis il vit Joel sortir de l'édifice et il ne put s'empêcher de rire.

Joel agissait comme si les vingt-quatre dernières heures n'avaient jamais existé.

— Il est encore tôt. On devrait peut-être remonter la rue, pour tâcher de trouver quelqu'un dans une des maisons.

Il n'attendit pas de réponse et s'élança sur la route large et poussiéreuse qui longeait l'église, en direction des maisons protégées derrière des clôtures en plus ou moins bon état.

— Quelle surprise ! s'exclama Alice. Il a repris sa place de petit chef.

— On est tous en sécurité maintenant. Il peut faire ce qu'il veut.

Ils avancèrent et virent une bicyclette d'enfant contre une clôture. Mais il n'y avait toujours personne.

— C'est bizarre, dit Alice en regardant le vélo. On avait l'impression que le monde entier avait disparu quand on était perdus. Entre ceux qui parlaient de pluies de météorites, et de trucs du même genre. En fait, rien n'a changé. Rien du tout.

Tom hocha la tête. Pourtant, il se demandait si, au contraire, le monde n'avait pas changé du tout au tout, et qu'ils étaient les seuls à s'en rendre compte. Et si chacun d'eux n'habitait pas dans un monde de sa propre création.

— On n'a toujours pas croisé âme qui vive, se contenta-t-il de répondre.

Avant qu'elle ne puisse dire quoi que ce soit, ils entendirent Joel lancer joyeusement :

— *¡Hola !*

Tom le revit entrer avec Chris dans le campement des narcotrafiquants, et le souvenir le troubla. Heureusement, lorsqu'il regarda devant lui, il vit une femme imposante debout sur un perron avec un enfant à ses côtés.

— *Hola.* Parlez-vous anglais ? *¿Inglés ?* Euh… *¿habla inglés ?*

Elle secoua la tête et regarda tout le groupe avec suspicion.

— *¡Inglés !* répéta Joel plus fort, comme si elle ne l'avait pas entendu.

Elle dit quelque chose à l'enfant, qui partit en courant vers la route. Si c'était là leur délivrance, il semblait à Tom que tout ne se passait pas comme prévu. Puis les choses prirent une autre tournure lorsqu'un SUV apparut. Même s'il était encore loin, le gyrophare sur le toit s'alluma d'un coup, puis s'éteignit.

— Tu crois que la police d'ici parle anglais ? demanda Alice.

La voiture s'arrêta et Joel s'en approcha. Le policier ouvrit sa portière et en sortit, curieux mais pas pressé.

— Espérons qu'on le découvrira avant que Joel se fasse tirer dessus, répondit Tom.

Elle rit, car il s'agissait bien d'une plaisanterie. Au bout de quelques secondes pourtant, ça n'y ressemblait plus tant que ça. Joel parlait et le policier le regardait, perplexe. Et quand Joel tendit la main vers lui, le policier l'écarta d'une tape tout en posant son autre main sur son arme.

— Oh ! là là ! Mais qu'est-ce qu'il fait ? s'écria Alice.

Tom secoua la tête et fendit le groupe.

— *¡Señor !*

Lorsqu'il prononça le mot (l'un des rares qu'il connaissait en espagnol), il se souvint de quelque chose le matin du crash, un nom espagnol, quelqu'un qu'il n'avait jamais connu. Il retira son sac à dos, fouilla dedans et sourit lorsqu'il trouva le rectangle cartonné dans la poche de son pantalon déchiré.

C'était la carte d'embarquement qui avait appartenu à Miguel Fernandez, dont la mort semblait remonter à une éternité. La main toujours posée sur son arme, le policier regarda la carte puis la saisit avec précaution.

Joel toisa Tom.

— Je m'en occupe. Tu n'es pas obligé de...

Le policier le fusilla du regard et pointa l'index vers lui. Le geste fut suffisamment clair pour que Joel recule d'un pas.

Satisfait de voir qu'il s'était bien fait comprendre, le policier étudia la carte d'embarquement. Puis il leva les yeux vers Tom, stupéfait, et dit quelque chose en espagnol. Tom hocha la tête et désigna le groupe derrière lui. Le policier se signa et hurla quelque chose à la femme sur le perron, qui lâcha un cri et jeta les bras au ciel. Elle se précipita vers le portillon, poussa les filles vers le perron et fit signe aux garçons de les suivre avec la civière.

L'enfant réapparut sur la route, accompagné d'un prêtre. Tous deux couraient. L'homme d'Église cria quelque chose au policier, qui lui répondit tout en désignant Tom. Le prêtre considéra le garçon, sous le choc.

— Je suis le père Francisco. Vous étiez dans l'avion qui a disparu ?

— Oui. Nous sommes les seuls survivants. Nous nous sommes écrasés dans les montagnes il y a plus d'une semaine. On a descendu le fleuve avec des canots, je crois qu'on a parcouru des centaines de kilomètres. On ne sait même pas dans quel pays on est.

— Alors permettez-moi d'être le premier à vous souhaiter la bienvenue au Brésil. Quant à l'endroit où vous vous êtes écrasés, c'est un mystère. Vous avez fait tout ce chemin par le fleuve ?

— On a d'abord marché dans la jungle.

Le prêtre le scruta de ses yeux noirs rieurs, puis posa les mains sur ses épaules.

— C'est un miracle. Un véritable miracle.

Et Tom hocha la tête. C'était aussi son sentiment.

Chapitre 52

Nick et quelques autres demeurèrent chez la femme. Le reste de la troupe fut emmené au presbytère, où ils s'installèrent dans un grand salon, encore frais à cette heure de la journée, avec ses deux ventilateurs qui tournaient lentement au plafond. La domestique du prêtre leur apporta du café et du gâteau, dont la douceur sirupeuse leur causa comme une euphorie silencieuse.

Tom remarqua qu'une fois de plus ils s'étaient scindés en deux groupes. À l'exception de Shen, qui était resté avec Nick pour veiller sur lui avant l'arrivée du médecin, c'était l'équipe qui avait originellement décidé de quitter le lieu du crash qui entourait Tom.

Ils n'étaient pas enclins à parler, mais lorsque la domestique fit cuire du bacon et des œufs et que l'odeur leur en parvint de la cuisine, George se mit à pleurer. Kate lui posa la main sur l'épaule, mais il rit à travers ses larmes.

— Je rêve de bacon depuis tellement longtemps !

Tous éclatèrent de rire, et les bavardages reprirent. À présent que tout cela était derrière eux, certains commençaient même à plaisanter des péripéties des derniers jours. Le père Francisco passait les voir de temps en temps, même si c'était plus pour chouchouter Perro qu'autre chose.

Une fois que chacun eut téléphoné à ses parents, Shen les rejoignit.

— Un médecin est arrivé et un politicien local, alors je suis parti.

— Content de te revoir parmi nous, dit Barney.

— Je préfère être là, c'est sûr. Et... le politicien parle anglais, alors Joel et les autres leur racontent ce qui s'est passé, seulement... pas tout à fait comme dans mon souvenir.

Alice lança un regard à Tom, qui haussa les épaules.

— On s'en fiche. On sait tous ce qui s'est vraiment passé. C'est ce qui compte.

Ils entendirent des voix à la porte d'entrée – plusieurs personnes discutaient avec le prêtre ou sa domestique – puis des véhicules, et même des hélicoptères qui, par deux fois, survolèrent le presbytère.

Personne, cependant, ne vint déranger le groupe d'amis, qui bavardait et riait. Tom était là, il était l'un d'eux. Et il se sentait proche de certains, lui qui ne s'était jamais senti proche de quiconque.

En fin de matinée, le père Francisco réapparut.

— J'ai des nouvelles. Après le déjeuner, vous gagnerez en bateau une plus grande ville. Vous y passerez des examens médicaux, vous y dormirez, puis vous prendrez un avion pour rentrer chez vous.

Tom remarqua qu'Alice changeait de visage à la mention de l'avion. Cela le perturba, car elle avait l'air de toujours tout encaisser sans sourciller. Finalement, ça lui rappelait qu'il ne la connaissait pas tant que ça. Pas encore. Voilà à quoi il consacrerait sa dernière année de lycée : se lier d'amitié avec toutes ces personnes, devenir quelqu'un dont on veuille comme ami.

— Et Nick ? demanda Shen.

Le prêtre lui sourit, déconcerté.

— Oh, vous voulez dire le garçon blessé ? Oui, il va bien, il partira après vous, mais arrivera avant. Il sera transporté en hélicoptère.

Il baissa les yeux vers Perro, assis près de lui, appuyé à sa jambe.

— Est-ce que votre chien a un nom ?

— Perro, répondit Tom.

— Ah, c'est de l'espagnol. En portugais, on dirait *cão* ou *cachorro*, mais Perro est un joli nom. Vous savez, ça va être très difficile de l'emmener avec vous.

— C'est notre mascotte, expliqua Kate. Tom l'a sauvé.

— Un chien est un compagnon idéal dans ces lieux isolés. Le mien est mort il y a un mois. Il avait treize ans, il était donc assez âgé, et je pensais que, peut-être, je n'en aurais pas d'autre, mais…

Tom sourit en voyant la manière dont Perro posait la tête contre la jambe du prêtre, comme s'ils étaient ensemble depuis toujours. Égoïstement, il voulait surmonter les difficultés pour le ramener chez lui. D'une certaine façon, cependant, il savait qu'il l'avait sauvé afin de lui trouver un foyer où on l'aimerait, comme celui-là.

— Je ne peux pas vous le donner, mon père : il ne m'appartient pas. Cela dit, accepteriez-vous de prendre soin de lui à ma place ?

— Rien ne me rendrait plus heureux. Vous savez… (Il s'interrompit lorsqu'on frappa à la porte.) Excusez-moi un instant.

Une fois le prêtre sorti, George lança à Tom un regard faussement outré.

— Je n'arrive pas à croire qui tu lui laisses notre chien ! Qui a dit que tu étais le chef ?

— Écoute, mon pote, j'ai pris une décision exécutoire, répliqua Tom, pince-sans-rire.

— Tu aurais dû demander à Joel d'abord, dit Alice. Tu sais que s'il est comme ça, c'est seulement parce qu'il veut nous aider.

À ce moment, le père Francisco réapparut à la porte.

— Tom, je peux te parler ? En privé.

— Bien sûr.

Tom se leva et un silence inquiet accompagna son départ. Il suivit le prêtre jusqu'à un bureau en désordre. Sans s'asseoir, le père Francisco se tourna vers lui, la mine préoccupée.

— Il semblerait que l'un des hélicoptères que nous avons entendus passer avait à son bord une équipe de télévision locale. La journaliste et le cameraman sont ici, c'est pour ça qu'on m'a appelé.

Tom hocha la tête, se demandant pourquoi c'était un problème ou en quoi ça le concernait. Il savait que leur histoire passionnerait les médias, qu'ils feraient le buzz une fois rentrés chez eux. Le prêtre vit que Tom ne comprenait pas et continua avec regret.

— C'est toi qu'ils voulaient voir pour t'interviewer à propos du laboratoire de cocaïne clandestin.

— Je vois.

Joel et les autres avaient déjà parlé à la journaliste. Ou au politicien. Et ils ne se tairaient pas de sitôt.

Tom comprit alors beaucoup d'autres choses. Leur retour chez eux ne serait pas la fin de l'histoire. Il y aurait des entretiens officiels, la presse, des spéculations à n'en plus finir. Ils ne reviendraient jamais vraiment dans le monde réel, parce que tout cela serait leur nouvelle réalité, et une partie de celle-ci serait le laboratoire de cocaïne clandestin et ce qu'il y avait fait.

— Alors… C'est vrai, ce qu'ils disent ?

— Deux des garçons du groupe ont été capturés, répondit Tom. Et… inutile de tourner autour du pot : j'ai tué leurs ravisseurs. C'était le seul moyen de sauver Joel et Chris.

— Mais comment ? Tu n'es qu'un adolescent, toi aussi.

— J'ai fait exploser leur baraquement. L'un des deux hommes qui étaient avec Joel et Chris s'est plus ou moins empalé sur la lance que je tenais, et l'autre, je lui ai tiré dessus avec un pistolet lance-fusée.

Le père Francisco le fixa, à peine capable de masquer sa stupéfaction.

— Et comment te sens-tu d'avoir fait cela ?

Tom pensa au jeune garde qui avait passé la dernière soirée de sa vie à monter la garde en rêvant sans doute d'un avenir meilleur.

— Je n'avais pas le choix. (Il marqua une pause, puis se souvint que cette horreur avait eu cependant une conséquence heureuse.) C'est de là-bas que vient Perro.

Le prêtre posa la main sur l'épaule de Tom.

— Dommage que tu doives nous quitter bientôt. Mais quand tu rentreras chez toi, il est important que tu puisses en parler. Pas aux médias, mais à un psychologue, à un médecin… ou même à un prêtre.

— Je le ferai. Merci.

— Et tu dois te préparer à ce que la presse mente et en rajoute. Cette journaliste prétend déjà que tu es fou, voire dangereux.

— Peut-être que je l'ai été, répondit Tom, devinant que la journaliste n'avait pas trouvé ça toute seule. Il fallait que je les sauve, c'est tout.

— J'ai l'impression que tu as été très courageux. À présent, il va te falloir faire preuve d'une autre sorte de courage.

— Je comprends. Merci.

Tom sortit, abattu. Ses actes pouvaient si facilement être mal interprétés par le monde extérieur, surtout avec l'aide de Joel et de quelques autres.

— Qu'est-ce qu'il y a ? lui demanda Alice.

Il essaya de minimiser les choses.

— Une journaliste voulait me parler. À propos des gens que j'ai tués au laboratoire clandestin.

Sa colère s'embrasa instantanément, avec une telle violence que Tom la crut prête à aller étriper Joel.

— J'arrive pas à y croire ! Quel connard !

— Ce n'est peut-être pas lui.

— Si c'était Chris, je serais encore plus furieuse, répliqua-t-elle avant de le regarder droit dans les yeux. Ce que tu as fait là-bas a été l'action la plus héroïque que j'aie vue de ma vie. Ne l'oublie pas. Ça ne leur appartiendra jamais.

— Allez, viens, fit Tom. Je ne veux pas que ça pourrisse l'ambiance. On est là. On a réussi.

Elle hésita, puis le serra contre elle et l'embrassa sur la joue, avant de prendre son visage entre les mains et de l'embrasser pour de vrai.

— C'était pour quoi, ça ? demanda Tom.

— Juste… Parce que. Pourquoi ? Tu ne…

— Oh si.

Il l'embrassa à son tour et ils rirent lorsque Perro aboya dans la pièce à côté.

Ils rejoignirent les autres et leur parlèrent de la journaliste. Même s'il était encore tout chaviré par ce baiser, Tom redoutait que ces retombées médiatiques sonnent le glas des amitiés qu'il avait nouées dans la jungle. Les autres voyaient certainement les choses d'une autre façon, mais dans son esprit, cette première intrusion de la presse n'était qu'un aperçu de tout ce à quoi il fallait s'attendre dans les semaines et les mois à venir. Comment, dans ces conditions, leurs liens pourraient-ils survivre à leur retour à la vie de tous les jours.

Malgré les paroles d'Alice, il serait toujours non pas celui qui avait sauvé la vie à deux personnes, mais celui qui avait tué, un dingue, dont on parlait à voix basse et qu'un silence glacial accueillait lorsqu'il entrait dans une pièce.

Soudain, George se leva.

— J'ai quelque chose à vous dire. La plupart des personnes que je considérais comme mes meilleurs amis sont morts dans ce crash. Et c'étaient des gens bien. Pourtant, au cours de la semaine passée, vous m'avez tous montré ce qu'était une authentique amitié, et toi plus que n'importe qui, Tom. Je me fous des histoires qui vont sortir de tout ça, je dirai la vérité à qui voudra bien m'écouter. Je suis fier de te considérer comme un ami.

— Moi aussi, s'écria Kate.

Et tous les autres joignirent leurs voix à la sienne.

Tom sourit et hocha la tête, incapable de parler. George s'approcha et l'étreignit avec force.

Il repensa à ce que Kate lui avait dit lorsqu'ils étaient seuls dans la jungle : « Voilà qui nous sommes aujourd'hui. » *C'était peut-être vrai*, pensa-t-il en ressentant une chaleur qui ne lui était pas familière, un espoir en l'avenir.

C'est qui je suis maintenant, se dit-il.

ÉPILOGUE

Ça s'appelle l'effet papillon, et c'est la partie de la théorie du chaos que tout le monde adore. L'idée, c'est que le battement d'ailes d'un papillon peut causer une tempête à l'autre bout du monde. Pas directement, bien sûr. Ce n'est pas comme si le battement perturbait une masse d'air, laquelle perturberait une autre masse d'air, et ainsi de suite jusqu'à obtenir une tempête. Ce serait totalement stupide.

Ce que ça veut dire en fait, c'est que tout est incroyablement complexe, que des millions de minuscules facteurs entrent en jeu à longueur de temps, et que si on en retire simplement un (le battement d'ailes d'un papillon, par exemple), alors les choses peuvent se passer autrement, ou ne pas se passer du tout.

Et donc, voilà quelques années, un homme du nom de Pedro Herrera se mit à sortir avec la fille de son patron dans le cabinet d'avocats où il travaillait. Lorsque leur relation tourna au vinaigre parce que Pedro se comportait comme le crétin qu'il était, les choses commencèrent à aller mal pour lui, et il fut viré peu après. Au début, il admit à contrecœur que son licenciement était le résultat de ses erreurs, puis, au fil du temps, sa vie alla à vau-l'eau et il se persuada que son ex-petite amie avait incité son père à le mettre à la porte sans raison.

L'envie de se venger devint obsessionnelle. Pas de son patron, qui était un homme puissant, mais de son ex. Il ne voulait rien faire de grave – ce n'était pas un psychopathe ou quoi que ce soit. Mais il allait la faire souffrir pour le tort qu'elle lui avait causé. Pedro était le papillon, et cette étrange décision de chercher à se venger était le battement de ses ailes.

Son ex-petite amie s'appelait Gloria Olivares. Bien qu'elle eût déménagé et changé de numéro de téléphone, il dénicha ses nouvelles coordonnées et entreprit de la harceler. Il l'appelait au milieu de la nuit sans rien dire lorsqu'elle décrochait, laissait sonner jusqu'à ce que le répondeur se déclenche mais sans laisser de message, faisait livrer chez elle des choses souvent accompagnées d'une note énigmatique qui pouvait ou non faire référence à des détails intimes de leur ancienne relation.

Sauf que Pedro, en crétin qu'il était, s'était trompé de Gloria Olivares. Cette Gloria-là était technicienne de laboratoire, et ne comprenait rien à ces notes cryptiques. Le harcèlement dont elle était victime la terrifiait de plus en plus.

Elle se mit à souffrir d'horribles migraines dues au stress, et après de trop nombreuses absences répétées, commença à redouter de perdre son travail. Alors elle vint au laboratoire malgré ses migraines, et après une nuit très stressante, elle intervertit accidentellement les résultats de deux analyses, une biopsie qui n'avait révélé aucun cancer et l'autre qui montrait une tumeur maligne.

Sans Pedro et son harcèlement mal ciblé, Gloria n'aurait pas commis cette erreur, et un pilote du nom de Javier

Quevedo, dont les parents étaient décédés d'un cancer et dont l'épouse avait perdu la vie l'année précédente, victime d'un vol à main armée dans la rue, n'aurait pas reçu de courrier lui annonçant la terrible nouvelle qu'il était atteint d'un cancer en phase terminale.

Si Javier avait insisté pour prendre un deuxième avis, il aurait découvert qu'il y avait eu une erreur, et il n'aurait pas sombré dans la dépression et décidé de faire disparaître son avion dans la jungle amazonienne, là où il ne pourrait jamais être retrouvé. La vie l'avait traité avec cruauté, il lui rendrait la monnaie de sa pièce. Ce serait son héritage. Le pilote de l'avion malaisien l'avait fait, alors pourquoi pas lui.

Il s'était beaucoup documenté. Bien sûr, s'il avait poussé ses recherches encore plus loin, notamment à propos des courants thermiques uniques des vallées où il avait choisi de s'écraser, il aurait réussi à anéantir l'avion tout entier, le mystère n'aurait jamais été élucidé, et dix-neuf personnes n'auraient pas survécu.

Et si ces dix-neuf personnes n'avaient pas survécu au crash, deux d'entre elles, Alice Dysart et Tom Calloway, ne se seraient jamais parlé en dehors du cours de littérature, n'auraient jamais appris à se connaître au-delà de leurs débats sur Shakespeare. Ils ne se seraient probablement jamais revus après le lycée, et n'auraient certainement pas fait partie du groupe d'amis très soudé qui avait sillonné les pistes de la jungle.

Voilà ce que c'est, l'effet papillon. Si un crétin du nom de Pedro Herrera ne s'était pas trompé en voulant se venger de son ex-petite amie, deux cent douze personnes ne seraient pas mortes, et Alice et Tom n'auraient jamais uni leurs destins, ni vécu la vie qu'ils vécurent après le crash.

REMERCIEMENTS

Je tiens à remercier Jenny Bak et toute l'équipe de Jimmy Patterson Books pour avoir contribué à rendre ce roman le meilleur possible, et en particulier l'éditeur lui-même, James Patterson, dont le soutien et l'enthousiasme ont joué un grand rôle pour vous apporter *When We Were Lost*.

Merci aussi à Penelope Burns et tout le monde chez Gelfman Schneider/ICM Partners, qui ont cru à cette histoire dès le début.

J'aimerais également remercier Owen et Lucy, pour leurs conseils cruciaux en matière de linguistique, même s'ils ne se souviennent pas de me les avoir donnés.

Et enfin, tous mes remerciements à vous, lecteurs, car sans vous, les auteurs ne sont rien. Ce livre est le papillon, mais vous êtes le battement de ses ailes.

Ouvrage composé par
PCA – 44400 Rezé

Archevé d`imprimer
par GGP Media GmbH
en juillet 2020
Titre: S29785/01

www.pocketjeunesse.fr
• POCKET JEUNESSE

MIXTE
Papier issu de
sources responsables
FSC® C003309